CLAUDIO BLANC

O GRANDE LIVRO DA
MAÇONARIA

MATERIAL COMPLEMENTAR
ACESSE AQUI

Copyright © 2020 Claudio Blanc
Direitos reservados e protegidos pela lei 9.610 de 19.2.1998.
Nenhuma parte deste livro pode ser reproduzida, arquivada em sistema de busca ou transmitida por qualquer meio, seja ele eletrônico, xérox, gravação ou outros, sem prévia autorização do detentor dos direitos, e não pode circular encadernada ou encapada de maneira distinta daquela em que foi publicada, ou sem que as mesmas condições sejam impostas aos compradores subsequentes.
4ª Impressão 2025

Presidente: Paulo Roberto Houch
MTB 0083982/SP
Coordenação Editorial: Priscilla Sipans
Coordenação de Arte: Rubens Martim (capa)
Imagens da capa: Shutterstock

Foi feito o depósito legal.
Impresso na China

Dados Internacionais de Catalogação na Publicação (CIP)
(eDOC BRASIL, Belo Horizonte/MG)

B638g Blanc, Claudio.
O grande livro da maçonaria / Claudio Blanc. – Barueri, SP: Camelot, 2019.
16 x 24 cm

ISBN 978-65-80921-05-8

1. Maçonaria. I. Título.

CDD 366.1

Elaborado por Maurício Amormino Júnior – CRB6/2422

Direitos reservados ao
IBC – Instituto Brasileiro de Cultura LTDA
CNPJ 04.207.648/0001-94
Avenida Juruá, 762 – Alphaville Industrial
CEP. 06455-010 – Barueri/SP
Vendas: Tel.: (11) 3393-7727 (comercial2@editoraonline.com.br)
www.editoraonline.com.br

SUMÁRIO

7 Introdução

Parte I. A Maçonaria e a Democracia

19 Alguns Regimentos Maçônicos
29 Um País Maçônico
41 As Irmandades de Construtores: A Maçonaria Operativa no Brasil
53 A Maçonaria e a Independência do Brasil
61 Perseguições

Parte II. O Simbolismo Maçônico

65 As Origens nos Antigos Mistérios
77 As Sociedades Secretas
91 Alguns Símbolos e Rituais Maçônicos
117 Lendas Maçônicas
139 O Templo Maçônico e seus Símbolos
145 Locais Maçônicos

Parte III. A Organização da Maçonaria

155 As Potências Maçônicas
167 Os Ritos Maçônicos
183 O Rito Escocês Antigo e Aceito

189 Posfácio

192 Bibliografia

INTRODUÇÃO

Os Pedreiros-Livres

Habilidosos pedreiros, marceneiros capazes, detentores dos segredos da geometria, criadores de novas tecnologias, os construtores alcançaram considerável poder em todas as grandes civilizações antigas. Para proteger tal conhecimento e para exercer a liberdade que suas realizações garantiam, organizaram-se em grupos e passavam gradativamente os segredos do ofício e as regras da corporação aos aprendizes, na medida em que estes conquistavam a confiança dos demais membros da categoria.

Além dos conhecimentos técnicos e científicos, as organizações de construtores da Antiguidade desenvolveram e transmitiram valores democráticos, adotando uma postura que buscava valorizar e aprimorar o ser humano, acima de tudo. Ao longo dos milênios, esses valores foram passados para todas as classes sociais e vieram a fundamentar a criação das atuais sociedades democráticas.

É uma história que se repete em diversas regiões do mundo desde os primórdios da civilização, conduzida pelas organizações de construtores; uma instigante história de busca por igualdade e justiça social.

De fato, a cidade aglutinou e aperfeiçoou em seu seio o embrião de futuras instituições (Governo, Igreja etc.) e constituiu um ambiente que concretizou a passagem do modo de vida baseado na caça e na coleta (chamado de Paleolítico) para o sustentado pela agricultura (Neolítico).

Se, para caçar, as tribos de poucos indivíduos seguiam as manadas, com a agricultura, o homem pôde se estabelecer e reunir-se em comunidades cada vez maiores. A partir desse arranjo, novas instituições surgiram. Um fato de relevo que apareceu com o advento da civilização foi o aperfeiçoamento do trabalho. Devido ao aumento da população e das diversas tecnologias que já eram dominadas, as especializações profissionais desenvolveram-se com as cidades. Agricultores, artesãos, soldados, sacerdotes e governantes ocupavam o lugar dos antigos fabricantes de pontas de flecha e de lança, que constituíam uma das poucas especializações do trabalho durante o período dos caçadores.

Com o advento da metalurgia, os ferreiros ocuparam lugar de destaque nas primeiras civilizações. No entanto, por conta da necessidade de construir monumentos – principalmente templos –, os construtores formavam a principal categoria trabalhista das cidades que surgiam.

Conforme escreveu o historiador britânico J. M. Roberts, "nas primeiras cidades, a riqueza produzida pela agricultura foi usada para manter as classes sacerdotais, que elaboravam complexas estruturas religiosas e encorajavam a construção de grandes prédios com funções mais do que meramente econômicas". Assim, desde o alvorecer da civilização até o advento da Revolução Industrial, no final do século XVIII, as organizações de construtores estiveram vinculadas aos representantes das religiões locais e aos reis e governantes. Formavam um elo muito íntimo com imperadores e sacerdotes, conforme relatam textos antigos, inclusive a Bíblia.

Essa intimidade com os círculos de poder garantiu uma posição elevada aos construtores. Mais do que riquezas e prestígio, os construtores adquiriram conhecimentos técnicos e desenvolveram tecnologias que os tornaram lendários em uma

INTRODUÇÃO

época em que a magia fazia o papel que hoje tem a ciência, isto é, buscava transformar a natureza em prol da humanidade. Alguns construtores eram tidos até mesmo como filhos de deuses. De fato, as construções promovidas pelo clero (sacerdotes) e pelos reis, bem como as executadas pelos construtores, resultaram, especialmente com o desenvolvimento da escrita, em um acúmulo de cultura que, segundo J. M. Roberts, "se tornou mais e mais efetivamente um instrumento para mudar o mundo". E não só em termos técnicos, mas também em relação aos valores democráticos estabelecidos entre os membros das organizações de construtores.

Os construtores da Antiguidade admitiam, na categoria, iniciantes que começavam na condição de aprendizes. Depois de demonstrarem habilidade e comportamento ético – noções demasiadamente importantes –, disciplina e outras exigências, esses aprendizes eram gradualmente "iniciados" nas práticas e nos conhecimentos secretos da organização trabalhista à qual pertenciam. Não se tratava, porém, de uma única iniciação, mas de várias. A cada uma delas, novas técnicas e conceitos eram ensinados.

Depois de passarem pelas tarefas determinadas, adquirirem experiência e ganharem a confiança dos colegas, os aprendizes se tornavam Companheiros. O termo retrata o ideal democrático cultivado no seio da categoria. Os profissionais da construção – fossem pedreiros, telheiros, escultores, marceneiros, entre outros –, viam-se e tratavam-se como iguais, um conceito que deixaram em todas as civilizações nas quais erigiram grandes monumentos: dos egípcios aos gregos, dos hindus aos construtores da magnífica Catedral de Chartres. Foi o ideal do "companheiro", isto é, da igualdade entre os homens, que levou à tese que fundamentou a fundação da instituição democrática na Idade Moderna.

Finalmente, o Companheiro tornava-se Mestre, que chefiava os diversos setores das obras, projetava os edifícios e atuava como juiz nas disputas entre os outros membros da categoria. O mestre dos mestres era eleito democraticamente pela organização e recebia o título de Grão-Mestre. Esse poder de decidir contendas era outorgado pelo próprio rei por meio de cartas régias – autorizações especiais garantidas a esses profissionais. Assim, os primeiros construtores tinham constituições próprias e leis que os governavam. Sua importância era tal que eram tidos como cidadãos diferenciados. Daí serem chamados de "pedreiros-livres".

De fato, em inglês e francês modernos, a palavra *mason* significa pedreiro, termo genérico que designava até a época das catedrais medievais os membros da categoria dos construtores como um todo. A Franco-Maçonaria, fundada no século XVIII, em pleno auge do Iluminismo (o movimento cultural que levou à Revolução Francesa, à fundação dos Estados Unidos e à libertação das colônias ibéricas na América), deriva dos conceitos teóricos e das práticas dos antigos maçons – leia-se "construtores" – da Antiguidade e da Idade Média. Assim, podemos afirmar que a Moderna Maçonaria resulta dos movimentos trabalhistas e que foi ela que ajudou a acabar com o antigo regime e a estabelecer a democracia.

"O foco da Maçonaria, seu objetivo primeiro, é o Homem", escreve Rizzardo da Camino, um dos mais proeminentes autores maçônicos do Brasil. "A Maçonaria valoriza o homem; seu ponto central é a valorização natural do ser humano", informa o autor. Essa valorização natural não se refere, porém, à valorização econômica ou religiosa. Significa, antes, descobrir as potencialidades de cada indivíduo para que ele possa se realizar e, dessa maneira, ser feliz.

Devido à sua ligação com os sacerdotes que encomendavam as construções de grandes templos, os construtores adotaram símbolos e conceitos religiosos com os quais permeavam sua prática profissional. Entre os conhecimentos necessários, os aprendizes de construtor também aprendiam matemática e geometria. E, com isso, desenvolveram uma compreensão do Universo até então inédita. E, em uma época em que a ciência engatinhava, tal compreensão foi envolta em misticismo: os construtores julgavam compreender os arbítrios do Cosmos.

O historiador e documentarista escocês Andrew Sinclair atesta que "alguns historiadores acreditavam que o Templo de Salomão foi

INTRODUÇÃO

construído por pedreiros que tinham familiaridade com os Mistérios dionísicos e eleusinos, bem como com a geometria divina ensinada pelo deus Hermes". Não se sabe, de fato, o que foram as Escolas de Mistérios mencionadas no texto. Sabe-se que consistiam em um grupo de crenças e práticas que existiu, de diferentes formas, em muitos países, ao longo de toda a Antiguidade, até o advento do Cristianismo. No Egito, eram os Mistérios de Ísis e Osíris; na Grécia, os Mistérios de Orfeu, de Dioniso e os de Elêusis; em Roma, os Mistérios de Baco e Ceres. Muitas das grandes mentes daquela época, como o filósofo Pitágoras, foram iniciadas em alguma ou algumas dessas escolas de sabedoria. Pitágoras e outros filósofos gregos, como Platão, ensinavam que a matemática e a geometria eram fundamentais para se compreender o Universo – a matemática e a geometria aprendidas e desenvolvidas pelos construtores e transmitidas a apenas alguns iniciados nos ritos dos pedreiros-livres.

Dessa forma, além da ciência e tecnologia, os construtores estavam também familiarizados com conhecimentos místicos que visavam, principalmente, à formação do homem e ao desenvolvimento humano por meio do trabalho e das relações com seus companheiros.

Os construtores mantinham sigilo em relação ao conhecimento que detinham e também à organização que mantinham. O motivo era a repressão que temiam. Seu ideal sempre foi fundar uma sociedade igualitária, onde todos recebessem atenção e educação enquanto aprendizes, fossem tratados como companheiros e liderados por mestres justos. Contudo, isso ia contra os interesses dos reis e sacerdotes, que escolhiam os governantes e determinavam a distribuição de recursos. Por isso, o ideal de igualdade praticado pelos construtores não poderia ser transmitido para a sociedade em geral sem gerar repressão. Isso porque, se os construtores já tinham uma constituição própria, regulada pelos mestres da categoria e garantida pelo rei, tal privilégio não era consentido ao resto dos súditos. Em segredo, lentamente, as antigas organizações de construtores buscavam conquistar os mesmos direitos para toda a sociedade.

Mas, para fundar uma sociedade baseada no ideal democrático dos construtores, era preciso que a mensagem fosse passada para outros setores da sociedade. Alguns autores (Charles W. Leadbeater e Marius Lepage, entre outros) teorizam que os antigos construtores criaram símbolos para ensinarem e conservarem sua filosofia sem sofrerem perseguições. E, sob a proteção dos reis que os empregavam, sem, porém, que estes soubessem, reuniões eram promovidas para que esses ensinamentos fossem transmitidos por meio de uma simbologia própria. Esses símbolos decoram templos e monumentos de todas as grandes civilizações. Enigmáticos, capazes de arrebatar a imaginação dos mais céticos, encerravam um único objetivo, qualquer que fosse a época ou o lugar: conhecer e desenvolver o homem.

Dessa forma, as tradições do Oriente Médio, em particular do Egito, e da construção do Templo de Salomão, em Israel, amalgamaram-se de forma indelével no corpo das organizações dos construtores.

Assim, com base nos relatos contidos nesses documentos, ainda que pertencentes à tradição oral, historiadores da Maçonaria afirmam que houve uma transmissão direta das práticas e da filosofia da fraternidade de construtores do Rei Salomão até os dias de hoje.

Segundo esses historiadores, como Jean Ferré, as fraternidades de construtores judeus (pois eram, de fato, fraternidades, uma vez que, como vimos, seus membros viam-se e tratavam-se como irmãos), herdeiras das tradições que se originaram com os construtores da Babilônia, do Egito e do Templo de Salomão, em Israel, passaram suas tradições para as corporações gregas. De lá, sua influência espalhou-se nas organizações de construtores romanos. Dessa forma, o conhecimento e os costumes desses construtores hebraicos estabeleceram-se em Roma, nos *coleggia*, ou organizações de pedreiros-livres.

Apesar de ser um implacável perseguidor dos cristãos, o imperador Diocleciano (244 – 311 d.C.) protegeu a guilda (organização) de construtores de Roma, cujos membros,

INTRODUÇÃO

muitos deles, eram cristãos. O imperador, porém, martirizou quatro patronos aristocratas da construção, bem como quatro pedreiros e um aprendiz, que se recusaram a abandonar a nova e controversa fé. Eles viriam a se tornar os santos patronos dos construtores lombardos e toscanos e, mais tarde, dos pedreiros medievais da França, Alemanha e Inglaterra, conhecidos como *Quatuor Coronati*, isto é, "os quatro coroados". Seus emblemas podem ser encontrados em Roma e em Florença, Nuremberg, Antuérpia e Toulouse: a serra, o martelo, a marreta, o compasso e o esquadro – símbolos adotados pela moderna Maçonaria.

Segundo Andrew Sinclair, "esses símbolos e as regras do ofício foram legados à misteriosa *Magistri Comacini*, uma guilda de construtores que vivia numa ilha fortificada no lago Como (o 3º maior lago da Itália, situado na Lombardia) na desintegração do Império Romano". Acredita-se que tenham sido eles que ensinaram os segredos da geometria sagrada e métodos de construção para os construtores italianos de Ravena e Veneza e, por meio deles, as guildas das artes e do comércio da Idade Média. Os lugares de encontro dos *Comacini* eram chamados de *loggia*, palavra que deu origem ao termo "Loja", usado na Moderna Maçonaria. Seus símbolos incluíam o nó, o Rei Salomão e a Infinita Corda da Eternidade Entrelaçada – também adotados pela Maçonaria praticada hoje.

Dessa forma, a partir de Roma, as guildas de construtores irradiaram-se para o resto da Europa durante a Idade Média. Na Inglaterra, já no século X, o próprio rei Edwin era membro da guilda de construtores. Ele concedeu cartas de franquia aos pedreiros-livres, bem como autorização para se reunirem em assembleia, para que fossem comunicadas as faltas cometidas pelos membros da Ordem e determinadas suas punições.

Em 926, a grande "Loja" dos construtores organizou os seus próprios códigos e sua constituição, distribuindo-os às demais Lojas, não só inglesas, mas de toda a Europa. Segundo o Manuscrito de Halliwell[1], naquele ano, o rei Edwin presidiu uma reunião de assembleias de pedreiros, onde convidou todos os membros dessas organizações a comunicarem aos seus companheiros tudo o que sabiam sobre os usos e as obrigações impostos aos construtores em todas as partes do reino e em outros países. As informações apresentadas a Edwin em diversas línguas "eram idênticas a respeito do que as inspirava", isto é, a igualdade entre os homens. Edwin reuniu esses preceitos num livro, que ele recomendava que "fosse lido e comentado cada vez que se recebesse um novo pedreiro, para lhe fazer conhecer as obrigações que lhe eram impostas. Desde então, até nossos dias, os usos e as práticas dos antigos construtores se têm conservado sob a mesma forma, nos limites do poder humano".

A importância disso é clara: o conhecimento e as práticas dos construtores, pedreiros, escultores, marceneiros e outros trabalhadores na construção eram tão essenciais para as nações que o próprio rei da Inglaterra assumiu o papel de patrono dos construtores e cuidou de sistematizar as relações com eles e entre eles. Essas regras e cartas régias é que viriam a ser a base das constituições maçônicas elaboradas no século XVIII, propondo igualdade, fraternidade e liberdade entre os homens.

Por volta do século XIV, a palavra "Loja" era usada para designar os locais de encontro dos membros das organizações de construtores. O Manuscrito de Halliwell aconselhava o construtor a manter segredo: "A privacidade da câmara não deve ser violada, nem se contar o que se faz na Loja". Os construtores franceses receberam um nome genérico, *compagnonnage*, ou "camaradaria", e também eram chamados de *Enfants de Salomon*, ou as "Crianças de Salomão", pois afirmavam que o Rei Salomão lhes tinha dado uma carta régia – ou seja, a permissão para exercer o ofício – e os incorporado fraternalmente dentro dos preceitos de seu templo.

A Camaradaria Francesa

Porém, a catedral também apresenta, em sua construção, características derivadas de antigos cultos e está repleta de símbolos contendo significados ocultos. Ao meio-dia de cada solstício, por

---

1. Um dos mais antigos documentos sobre a Maçonaria, descoberto no início dos anos 1810 pelo antiquário James Orchard Halliwell, que não era maçon.

INTRODUÇÃO

exemplo, tanto no verão como no inverno, um raio de sol atravessa um pequeno orifício no vitral de Santo Apolinário, cujo nome remonta ao deus Sol dos gregos e romanos, Apolo, e indica um entalhe no solo em forma de pena. Trata-se de uma mensagem perdida no tempo, esperando para ter seu sentido descoberto. Os símbolos deixados pelos construtores de Chartres e de outras catedrais e igrejas europeias revelam o conhecimento místico que suas organizações profissionais detinham e transmitiam.

Na França, a *compagnonnage*, ou "camaradaria", de construtores surgiu, em um primeiro momento, para enfrentar o poder dos patrões, que controlavam todos os aspectos da profissão, da aprendizagem à promoção. Durante o período medieval, as condições dos construtores eram – para dizer o mínimo – precárias. Submissos a um patrão, eram muitas vezes mal pagos e maltratados. Além disso, era quase impossível para eles obter o título de Mestre, o que lhes permitia se estabelecer por conta própria.

Por isso mesmo, conforme o historiador Henri Pirenne, citado por Da Camino, "na Europa, uma das principais características das corporações de ofício foi seu caráter protecionista. Ações protecionistas por parte das autoridades locais, que necessitavam ter controle sobre os produtos oferecidos nas cidades, buscando se resguardar de altas de preço, da concorrência externa e influenciando a mão de obra; e também, por parte dos próprios trabalhadores, que enxergavam nas corporações e na legislação local um abrigo contra a concorrência da mão de obra estrangeira, resguardando, assim, a garantia de sua subsistência". A *compagnonnage* surgiu nesse contexto como uma espécie de união sindical embrionária, que, além do trabalho, garantia a seus afiliados o recebimento de ajuda de todo tipo: alojamento, alimentação e roupas. Além disso, a camaradaria também visava a dar a seus membros uma formação tanto técnica quanto moral. Dessa forma, pertencer à Organização significava ter uma vida mais digna e segura. Diminuindo a importância do título de Mestre, valorizaram o de Companheiros ou Camaradas, destacando o aspecto fraternal da organização.

Registros históricos indicam que a camaradaria francesa existia, pelo menos, desde o século XI. Como nas organizações de construtores da

Antiguidade, essa sociedade profissional instilava seus segredos em cada um de seus membros ao longo do percurso técnico e espiritual do seu trabalho. Essas duas correntes de conhecimento – técnico e espiritual – estão expressas nas obras dos companheiros franceses, repletas de símbolos enigmáticos e erigidas para durar séculos, como as colossais catedrais de Chartres, Bayeux, Reims, Amiens e de Évreux, um conjunto de igrejas dispostas conforme a constelação de Virgem, construídas entre os séculos XII e XIII.

Acredita-se que os conhecimentos iniciáticos detidos pelos companheiros foram adquiridos na época das Cruzadas, as guerras movidas pela Igreja de Roma para conquistar a Terra Santa entre os séculos XII e XV. Durante as guerras santas, os Cavaleiros Templários eram encarregados de defender o território conquistado pelos cristãos. Para tanto, construíram diversas fortificações na Palestina. E para erigi-las, os templários empregaram a camaradaria francesa. No processo de construção, os templários acabaram passando aos membros da camaradaria conhecimentos científicos e místicos que amealharam na Terra Santa: a tradição dos construtores do Templo de Salomão.

Aprendizes, Companheiros e Mestres

Os operários da camaradaria francesa pertenciam a quatro ofícios distintos: talhadores de pedra, carpinteiros, marceneiros e serralheiros.

Os ofícios, por sua vez, dividiam-se em graus de experiência. Como na Antiguidade, também entre os companheiros franceses, havia três graus: Aprendizes, Companheiros e Mestres, ou Iluminados. O título "iluminado" refere-se ao fato de que os mestres não só eram profissionais especializados, mas iniciados inspirados pela luz divina. Esses graus eram os mesmos dos construtores do Templo de Salomão, fonte de inspiração dos companheiros franceses.

Durante a Idade Média, a camaradaria entrou em um movimento de declínio. Alguns autores especulam que a crise teria sido resultado da expansão da organização. Muitos operários que vieram a filiar-se à camaradaria buscavam se beneficiar do sistema, deixando de

INTRODUÇÃO

lado o conteúdo iniciático e as responsabilidades assumidas. Os pedreiros, isto é, os companheiros encarregados de entalhar a pedra, preservaram, porém, a antiga tradição. Aumentando a união entre seus membros, reforçaram suas responsabilidades e conservaram o segredo. Dessa forma, conseguiram manter sua organização.

Uma antiga lenda reflete essa divisão entre os membros da *compagnonnage*. Durante a construção do Templo de Salomão, havia dois mestres: Jacques e seu pai, Soubise, que trabalhavam como arquitetos sob as ordens de Hiram. Depois que a obra foi concluída, Jacques e Soubise foram à França. Durante a viagem, uma disputa separou-os. A partir da cisão, surgiram dois ramos da camaradaria: enquanto Mestres, Jacques tornou-se protetor dos cortadores de pedra e Soubise tornou-se patrono dos carpinteiros. Anos mais tarde, mestre Jacques foi assassinado pelos discípulos de Soubise em uma disputa para controlar a organização dos construtores.

Numa variante dessa lenda, Mestre Jacques não é outro senão o último Grão-Mestre templário Jacques de Molay (c.1242 – 1314). Foi ele um dos que levaram – e iniciaram – os companheiros à Terra Santa para edificar suas poderosas fortalezas. Nessa versão da história, Soubise seria um monge beneditino que conservou os projetos do Templo, isto é, os segredos dos templários.

Ritos

Os ritos de adoção dos companheiros construtores franceses remetem aos dos modernos maçons.

Depois de um período probatório de vários meses, aquele que quisesse se associar era admitido por meio de uma cerimônia de adoção, durante a qual o pretendente era testado. Devia fabricar moedas falsas, ou até mesmo renegar a própria religião para provar sua virtude. Depois, ele recebia o abraço dos companheiros experientes, que lhe davam uma fita da cor da corporação de sua profissão e uma bengala. A partir de então, ele tornava-se um Aspirante.

Seu trabalho e sua conduta eram observados e, quando sua

técnica e suas virtudes morais fossem demonstradas, ele era aceito como Companheiro. Para tanto, o aspirante tinha de compor sua obra-prima, uma peça única, que indicava o domínio de sua arte.

A cerimônia de recepção era um dos mais importantes momentos da iniciação. Nela, o aspirante deveria morrer simbolicamente para renascer Companheiro – um dos resquícios das religiões dos Mistérios da Antiguidade. Então, era batizado e recebia seu nome de Companheiro.

A iniciação era completada numa terceira etapa, chamada de "acabamento". Quando se tornava um Companheiro acabado, o artesão voltava-se para o mundo, transmitindo seus conhecimentos para perpetuar a corrente dos Companheiros.

Com o fim da época das catedrais também foram desaparecendo os mestres construtores. Para não perder sua tradição, as organizações de construtores viram-se forçadas a abrir as portas para pessoas que não tinham nada a ver com o ofício de pedreiro ou construtor. Esses novos membros iam buscar na camaradaria não o aprendizado técnico, mas o iniciático. A partir de então, inicia-se a chamada Maçonaria Especulativa.

PARTE I
A MAÇONARIA E
A DEMOCRACIA

ALGUNS REGIMENTOS MAÇÔNICOS

Segundo o escritor Charles W. Leadbeater, "os escritores maçônicos do século XVIII especularam a história da Maçonaria (...) baseando seus conceitos numa crença literal na história e cronologia do Antigo Testamento e nas curiosas lendas das artes manuais" (isto é, dos profissionais da construção).

O fato de a Maçonaria Moderna ter surgido a partir das guildas de construtores é notado por diversos autores maçons. Em seu livro *História e Doutrina da Franco-Maçonaria*, Marius Lepage cita o maçom H. F. Marcy para afirmar que "todos os documentos que possuímos (isto é, os maçons) estabelecem que foi dos construtores medievais que nossa Ordem (ou seja, a Maçonaria) saiu e demonstram apenas isso". A doutrina maçônica, isto é, os conceitos que servem de base a esse princípio filosófico, é fundamentada nos *Landmarks*, nas *Old Charges* e nas Constituições.

A Maçonaria atual surgiu a partir dos fragmentos de antigos ritos praticados durante a Antiguidade no Egito, em Israel, na Índia, em Roma e na Grécia. Esses fragmentos seriam os *landmarks* maçônicos, os "pontos de partida" que chegaram até os dias de hoje. O escritor maçom Bernard Jones definiu *landmark* como os "princípios que existiram em tempos imemoriais, seja na lei escrita, seja na lei oral, que se identificam com a forma da essência da Sociedade (a Maçonaria)... e que cada maçom é obrigado a respeitá-los sob as promessas mais solenes e invioláveis". Albert Mackey estabeleceu, em 1856, um número de 25 *landmarks*, mas há Lojas que relacionam até 54.

As *Old Charges* (Velhas Obrigações ou Obediências) também fazem parte dos fundamentos da doutrina maçônica. Foram extraídas de antigos manuscritos usados pelas guildas de artesãos da Idade Média. O mais antigo deles é o Grand Lodge Ms. n°1. De acordo com Lepage, foram escritas por clérigos, uma vez que, nessa época, a Maçonaria Operativa era associada à Igreja de Roma e por ela protegida. Trata-se, na verdade, de códigos de ética que regulavam o relacionamento entre os maçons das guildas profissionais. "A vida em sociedade comunitária – que era a dos construtores nos grandes canteiros de obras da ocasião – exigia uma disciplina de conduta diferente da disciplina normal do homem que trabalha só ou em pequenos grupos", explica o escritor Marius Lepage. "As *Old Charges* não passam de uma expressão dessa disciplina", afirma.

Com o advento da Maçonaria Especulativa, no século XVIII, as *Old Charges* foram substituídas pelas Constituições. A primeira delas, que em espírito já não tem mais a ver com as Old Charges, é a de Anderson, publicada em 1723. As Constituições atuais também têm pouco a ver com o proposto por Anderson no início do século XVIII.

Embora a Constituição de Anderson, publicada em 1723, seja um dos marcos da Franco-Maçonaria, não se sabe muito, porém, a respeito de seu autor. James Anderson nasceu em Aberdeen, Escócia, por volta de 1648. Nada se conhece sobre sua infância. Formado pela universidade de sua cidade natal, tornou-se ministro presbiteriano em 1734. Também é desconhecida a data do seu ingresso na Maçonaria.

Ao que parece, depois da publicação das Constituições, ele não compareceu mais às reuniões da Grande Loja durante sete anos.

O passo seguinte conhecido da vida do reverendo Anderson é a publicação, em 1732, do seu livro *Les Généalogies Royales* (As Genealogias Reais) – "a obra da sua vida". A segunda edição das Constituições saiu em 1738. No ano seguinte, Anderson morreu.

Curiosamente, o fato mais detalhado conhecido sobre a biografia de Anderson foi publicado no jornal *The Daily Post* por ocasião do seu funeral. O interessante artigo – citado no livro *A Franco-Maçonaria Simbólica e Iniciática*, de Jean Palou –, descreve minuciosamente a cerimônia fúnebre maçônica e revela, estranhamente, que os oradores não se referiram uma vez sequer ao falecido:

"Ontem à tarde foi enterrado numa sepultura de profundidade fora do comum o corpo do dr. Anderson, professor não conformista. Os cordões do manto funerário eram segurados por quatro professores da mesma religião e pelo reverendo dr. Désaguliers (a versão francesa de James Anderson). Era acompanhado mais ou menos por uns doze franco-maçons que ficaram em torno da sepultura."

O fato de a cova de Anderson ter sido "de profundidade fora do comum" revela uma característica das sociedades iniciáticas.

Manuscrito de Halliwell

O Manuscrito de Halliwell, hoje em posse da Biblioteca do Museu Britânico, evidencia as práticas e relações dentro das organizações dos antigos construtores, e relata a história da transmissão dessa tradição.

Datado entre o final do século XIV e o início do XV, baseia-se na tradição oral, isto é, em relatos transmitidos de geração a geração e que, segundo Rizzardo da Camino, "constituem a história verdadeira e autêntica da arte de construir". Esse documento é considerado o primeiro da Franco-Maçonaria e atesta que os modernos maçons são herdeiros das tradições de relacionamento profissional e humano estabelecidas pelas organizações de construtores desde a Antiguidade.

O Manuscrito de Halliwell, escrito em forma de um poema com 64 páginas, e, por isso, também chamado de Poema Régio, conta que, na época da edificação da Torre de Babel, a arte da construção fez que os membros dessa categoria profissional começassem a adquirir grande importância. A posição dos membros dessa organização alcançava tanta proeminência que "o próprio rei (babilônico) Nemrod se fez construtor e demonstrou grande predileção por essa arte e construiu Nínive (na Babilônia) e outras cidades", menciona o documento.

Nemrod enviou trinta construtores ao estrangeiro, recomendando: "Sede fiéis uns aos outros; amai-vos sinceramente e servi com fidelidade aos que tenham autoridade sobre vós, para que desse modo honreis a mim, que sou vosso amo, e vos honrais também a vós mesmos". "Muito tempo depois", continua o Manuscrito de Halliwell, "o rei Davi empreendeu a construção de um templo, que chamou o 'Templo do Senhor' em Jerusalém". Davi proclamou-se Patrono dos Construtores, instituiu normas e regulamentos entre eles e deu-lhes controle sobre essas regras, mas morreu antes de ver a obra concluída. Foi "Salomão, seu filho, quem terminou o templo. Enviou pedreiros (Construtores) a diversos países e reuniu 40 mil obreiros na pedra, aos quais chamou de Maçons; dentre esses escolheu três mil, que foram chamados de Mestres e Diretores dos Trabalhos. Também existia, naquele tempo e em outro país, um rei a quem seus súditos chamavam de Hiram, quem proporcionou a Salomão as madeiras para a construção do Templo". O texto é quase idêntico ao Livro de Reis, na Bíblia, o qual afirma que Salomão "escolheu operários em todas as nações de Israel (...) e [seu arquiteto] Hiram tinha a intendência sobre todos esses homens. Salomão tinha à disposição 70 mil serventes que carregavam o material e 80 mil que cortavam as pedras na montanha; aqueles que tinham a intendência sobre cada obra, em número de três mil, davam ordens ao povo e àqueles que trabalhavam" (Reis, 1:5).

Além disso, o rei Hiram nomeou um arquiteto para a construção do templo, também chamado de Hiram Abiff. Esse mestre lendário tinha o domínio total da arte da construção.

Como presidiu a construção do Templo, uma obra colossal que demorou décadas e que exigiu a organização de verdadeiras cidades de construtores, Salomão é tido como aquele que instituiu os costumes e as práticas adotadas posteriormente pelos pedreiros medievais e por outras organizações profissionais, as "guildas", que tinham participado da construção do seu Templo. Salomão foi o Mestre dos Mestres, ou Grão-Mestre, da oficina, ou "Loja" principal de Jerusalém, enquanto o construtor Hiram Abiff foi o Grão-Mestre adjunto.

O Manuscrito de Cooke

Outro documento importante para a história das organizações de construtores e suas práticas é o Manuscrito Cooke, de 1410.

O texto do Manuscrito de Cooke confirma que as práticas trabalhistas adotadas pelos construtores do Templo de Salomão em Israel foram a base da instituição democrática moderna. "Salomão reforçou as obrigações e os direitos que Davi, seu pai, tinha dado aos pedreiros", testemunha o documento. "E o próprio Salomão os ensinou seus modos, que pouco diferem dos usados (isto é, das práticas dos construtores do século XV, época em que o manuscrito foi produzido)."

O Pergaminho de Kirkwall

Um dos mais antigos documentos maçônicos, o Pergaminho de Kirkwall relaciona as origens da Ordem aos cavaleiros templários.

Mais de dois milênios depois da construção do Templo de Salomão, durante as Cruzadas, a Ordem dos Cavaleiros Templários adquiriu os conhecimentos secretos desses antigos construtores. A ordem dos Pobres Soldados de Cristo do Templo de Salomão, ou dos Cavaleiros do Templo de Salomão, tinha sido criada na Primeira Cruzada (1096 – 1099) para proteger os peregrinos cristãos na Terra Santa. Durante os quase dois séculos em que permaneceram no Oriente Médio, os templários amealharam um verdadeiro tesouro – tanto material quanto científico.

A Ordem, que pertencia à Igreja, tornou-se tão poderosa que, em 1312, o Papa Clemente V, com o auxílio do rei da França Felipe IV, dissolveu a fraternidade e executou seus líderes. No entanto, a tradição templária – seu tesouro material e conhecimento técnico – continuou viva nos muitos cavaleiros sobreviventes. Espalhando o conhecimento que detinham pela Europa, os templários contribuíram imensamente com a revolução da Era dos Descobrimentos, que resultou, entre outras implicações, no advento do Iluminismo e da Era Moderna.

Para escapar das perseguições que se seguiram à extinção da Ordem, grande parte dos templários sobreviventes uniu-se a outras ordens militares, infiltrou-se nas guildas de ofício europeias – particularmente as de construção – ou simplesmente se dispersou. Outros, porém, permaneceram unidos e levaram a cruz templária a outros países.

Alguns dos templários que conseguiram escapar da perseguição promovida pelo Papa refugiaram-se em Portugal e na Escócia.

Em Portugal, foram protegidos pelo rei devido ao seu notável conhecimento de técnicas de navegação. Os navios portugueses foram pioneiros no uso da bússola e da vela de armação latina, que permite navegar até 45° contra o vento, adotada dos *dhows*, um tipo de embarcação utilizada pelos árabes. Introduzidos pelos templários, os inovadores mapas da costa atlântica da Europa, do Mediterrâneo e do norte da África, muito diferentes dos prosaicos mapas usados na Europa até então, derivavam dos desenvolvimentos da cartografia árabe.

Segundo o historiador escocês Andrew Sinclair, em Portugal, os refugiados da Ordem do Templo de Salomão fundaram a Ordem dos Cavaleiros de Cristo. Os navios da ordem renomeada navegavam no Atlântico sob a cruz de oito pontas dos templários. O primeiro europeu a circum-navegar a África, o explorador Vasco da Gama, era um Cavaleiro de Cristo, assim como o infante Dom Henrique, que viria a se tornar um dos seus grão-mestres.

Já os templários que se refugiaram na Escócia inauguraram os primórdios da Maçonaria Moderna. Retribuindo o favor recebido do excomungado rei Robert Bruce por tê-los recebido e protegido, os templários apoiaram o soberano na luta contra os invasores ingleses. O apoio dos templários assegurou a vitória da Escócia na importante Batalha de Bannockburn, em 1314. Os reforços da cavalaria templária foram vitais para Bruce vencer o exército inglês, três vezes maior do que o seu.

Com a vitória em Bannockburn, Bruce se tornou rei incontestável da Escócia – e soube reconhecer o valor dos templários. Em gratidão aos monges guerreiros, Bruce teria criado duas ordens nas quais eles poderiam se fundir. A primeira foi a Hidden Royal Order of Scotland. Seu grão-mestre era o próprio rei. A segunda foi a Grã-Loja Real de Heredom – que, na verdade, já existia, mas foi rebatizada e reformulada para abrigar os templários. Bruce apontou a família Saint Clair – os condes de Rosslyn, próximo a Edimburgo – para representá-lo como grão-mestres hereditários de todos os ofícios e todas as guildas da Escócia, onde os templários começaram a atuar e a disseminar conhecimento iniciático e científico. Dessa forma, as técnicas e o saber que os templários haviam trazido do Oriente foram estabelecidos em solo escocês. Especialmente, seus conhecimentos arquitetônicos foram empregados para erguer em pedra uma nova Escócia. Dentro dessas novas ordens profissionais, especialmente a dos pedreiros, as doutrinas secretas dos templários viriam a se tornar a prática dos posteriores maçons.

Para muitos historiadores e maçons, a prova da origem templária da Maçonaria está no Pergaminho de Kirkwall. Repleto de antigos emblemas, imagens e mapas, o Pergaminho de Ensinamentos de Kirkwall foi datado do final do século XIV, quando a Ordem do Templo de Salomão foi dissolvida. Feito de linho resistente enegrecido nas bordas, sua parte central contém uma série pintada de símbolos maçônicos que culminam na cena da Criação descrita na Bíblia. Há duas seções laterais que retratam a jornada das Tribos de Israel para a Terra Prometida.

Há uma profusão e confusão de ícones: a colmeia da indústria e o cavalete com prancha da construção; o esquadro e o compasso, o prumo, o lápis, o pavimento enxadrezado, as Colunas de Jaquin e Boaz, um homem cercado por oito estrelas e o Olho que Tudo Vê do discernimento divino.

Outros símbolos mais antigos aumentam ainda mais o enigma de quem busca interpretar o pergaminho: um sol de seis pontas e uma lua com um rosto, cercada por sete estrelas, brilhando sobre o Jardim do Éden. Há também representações geográficas, possivelmente mapas: num trecho de oceano sob uma cadeia de montanhas, uma enguia e um peixe guiam diferentes tipos de baleias e de outras criaturas marinhas. Há também a intrigante imagem de um hermafrodita cor-de-rosa e um Adão confundido com uma Eva sob a sombra de uma Árvore da Vida – o princípio gnóstico do masculino fundido ao feminino.

De acordo com o irmão Speth, da Loja Quattuor Coronati de Londres, um dos primeiros intérpretes do documento, o Pergaminho de Kirkwall foi obra de um cavaleiro templário que ele identificou numa das figuras do conjunto. O pergaminho original foi dividido e, entre as duas metades, foi inserida a seção central de linho. As laterais e as margens datam de épocas diferentes.

Speth ficou intrigado pelo fato de um aparente mapa templário, provavelmente datando da Quinta ou Sétima Cruzada, ter sido cortado em dois para servir de margens a um documento maçônico representando uma cena gnóstica do Paraíso acima de dúzias de emblemas maçônicos e templários. Para Speth, a única resposta plausível é a de que aqueles que fabricaram a versão final do Pergaminho de Kirkwall desejaram esconder o envolvimento dos Cavaleiros Templários no Antigo Rito Maçônico Escocês – com exceção dos iniciados nos graus mais elevados. Isso foi particularmente necessário depois da Reforma Protestante e da apropriação da Maçonaria pelos reis hanoverianos da Inglaterra.

Speth vê no conjunto de símbolos e desenhos do Pergaminho de Kirkwall os séculos de empenho dos templários e dos condes de Saint Clair em passar, a serviço do rei da Escócia, os mistérios dos cavaleiros templários ao Antigo Rito Escocês dos maçons. Para Speth, o pergaminho é a prova da disseminação da antiga sabedoria do Oriente Médio, por meio dos cruzados que retornavam das Guerras Santas, até os modernos maçons e as ordens de cavalaria.

UM PAÍS MAÇÔNICO

Quando a Maçonaria ressurgiu na sua versão moderna, na Inglaterra do século XVIII, ela veio ocupar um espaço que se abria devido à necessidade de sedimentar as novas ideias e os conceitos que pressionavam para mudar o mundo.

Adotando a estrutura hierárquica e os preceitos de igualdade dos profissionais da construção da Antiguidade e da Idade Média, durante o Iluminismo, a Maçonaria surgiu como uma força determinante na transformação da ordem mundial.

As ideias e os conceitos que resultaram dos avanços científicos e filosóficos ocorridos desde o final da Idade Média acabaram gerando um dos momentos mais importantes de toda a História: o movimento político e cultural conhecido como Iluminismo. De acordo com Jonathan I. Israel, autor de *Iluminismo Radical – a Filosofia e a Construção da Modernidade – (1650 – 1750)*, "o Iluminismo foi o passo mais dramático rumo à secularização e à racionalização da história, não só da Europa, mas do mundo todo". Antes do Iluminismo, a sociedade era concebida teologicamente e ordenada regionalmente, e baseava-se em hierarquia e autoridade eclesiástica, em vez de na universalidade e na igualdade. Era o chamado Antigo Regime. As mudanças que foram instaladas a partir do início do Iluminismo – muitas delas graças ao empenho da Maçonaria, herdeira dos conceitos das antigas associações de construtores – transformaram a face do mundo como nunca havia sido feito antes. O Iluminismo não só destruiu as bases tradicionais da cultura europeia em relação ao sagrado, à magia e à hierarquia, mas também demoliu a legitimidade da monarquia, da aristocracia, da subordinação da mulher ao homem, da autoridade eclesiástica, da escravatura, e substituiu-os pelos princípios da universalidade, da igualdade e da democracia.

As ideias dos primeiros pensadores iluministas causaram debates por toda a Europa. No entanto, as instituições estabelecidas relutavam em rever a visão de mundo vigente. Os livros com as novas ideias eram proibidos, e seus autores, presos ou exilados. Aqueles que ousavam adotar as conclusões dos filósofos iluministas faziam-no em silêncio, temendo serem processados criminalmente. Aos poucos, um movimento começou a fermentar em reuniões secretas de grupos libertários, especialmente entre as guildas de profissionais da construção e, em menor grau, de outros ofícios.

Esses foram os primórdios da Franco-Maçonaria, o momento em que os ideais dos pedreiros-livres saíram das suas guildas e espalharam-se por todas as camadas da sociedade.

A antiga filosofia dos construtores ressurgiu na Maçonaria, como a entendemos hoje, com a Grande Loja da Inglaterra, fundada em 1723. Essa organização reuniu as antigas cartas de regras das guildas de construtores medievais, como a dos companheiros franceses, em uma constituição conhecida como a Constituição de Anderson. As antigas cartas e regras dos construtores reunidas na Constituição de Anderson iniciam a chamada Maçonaria Especulativa, que, diferentemente da Maçonaria Operativa medieval (praticada pelos operários da construção), admitia em seus quadros não só construtores e artesãos, mas homens de "espírito iluminado". Dessa forma, as práticas democráticas e as relações trabalhistas adotadas pelos construtores desde a Antiguidade – os "pedreiros-livres" – passavam para outros setores da sociedade, difundindo, assim, um conceito e um conhecimento que iriam derrubar o Antigo Regime e estabelecer os valores democráticos das guildas de construtores. Os novos membros advindos de outras ordens passaram a ser chamados de "maçons (pedreiros) aceitos", pois não eram, de fato, construtores. Com o tempo, eles também ficaram conhecidos como "especulativos", pois o termo indicava, no sentido usado no século XVIII, toda pessoa dada à contemplação, à meditação, e que se entregava à especulação. O "especulativo" era o idealista e não o homem de feitos e de práticas.

A Grande Loja de Londres sedimentou a fraternidade maçônica. A partir do seu estabelecimento, diversas Lojas foram fundadas em toda a Europa, sempre buscando avançar o ideal de liberdade, igualdade e fraternidade cultivado nas organizações dos construtores.

No final do século XVIII, a Maçonaria já ocupava um lugar de destaque nos principais países europeus. A elite intelectual da França, da Inglaterra e da Prússia tinha na Ordem um ambiente livre para propagar as novas ideias e os novos conceitos. Numa época em que as rédeas do poder estavam bem seguras nas mãos de monarcas que encarnavam a lei neles mesmos, os modernos maçons buscavam libertar o homem, iluminando todos sem distinção, acreditando que somos todos semelhantes.

Grande parte dos movimentos sociais que incendiaram a Europa na segunda metade do século XVIII foi apoiada pela Maçonaria. "Liberdade, igualdade, fraternidade", os ideais da Revolução Francesa, por exemplo, são os mesmos da Maçonaria. Embora seja difícil determinar a verdadeira participação da Maçonaria no conflito, provavelmente, o papel mais importante da Ordem na

Revolução Francesa tenha sido o de acender o estopim que fez explodir a insurreição.

A Maçonaria e a Fundação da América

Os movimentos revolucionários europeus – encabeçados pela Franco-Maçonaria – resultaram na independência dos Estados Unidos e da America Ibérica.

O movimento pela libertação das treze colônias inglesas surgiu dentro de uma Loja maçônica e os principais líderes da Revolução Americana eram maçons. Os símbolos do novo país também estão impregnados dessa memória maçônica – símbolos criados, como vimos, pelos construtores da Antiguidade e da Idade Média.

Embora tenha sido estabelecido e seja apregoado que os Estados Unidos foram fundados sobre os ideais das correntes cristãs puritanas – e por isso fundamentados na Bíblia –, de fato, os chamados Pais Fundadores eram maçons e estabeleceram a nova nação sobre os maiores princípios políticos da Ordem: igualdade, justiça e liberdade. É claro que a inspiração maçônica que envolve a criação da base constitucional dos Estados Unidos não tira o caráter cristão que também marca os ideais do país. Afinal, Cristo é igualmente fonte de inspiração para os maçons, que o veem como um homem que atingiu o grau mais elevado da iluminação moral e da sabedoria.

A fundação dos Estados Unidos é o resultado de um movimento revolucionário que se iniciou na Europa mais de um século antes, com o advento do Iluminismo – uma corrente filosófica, a princípio, incipiente, mas que se imbuiu de tanta força que varreu o continente europeu com os vendavais da revolução. Aos poucos, o Antigo Regime foi sendo substituído por regimes republicanos – um processo que continua até hoje.

Logo, as novas ideias iluministas cruzaram o Atlântico e instilaram-se entre os colonos.

UM PAÍS MAÇÔNICO

Em 1730, apenas treze anos depois da fundação, em Londres, da Grande Loja Mãe do Mundo, seu grão-mestre nomeou um grão-mestre provincial para Nova York e as colônias vizinhas. A partir de então, a Maçonaria propagou-se por todas as treze colônias inglesas da América. Ironicamente, foi do seio das várias Lojas americanas que saíram muitos dos líderes do movimento de independência dos Estados Unidos. A Loja Santo André, por exemplo, foi a que lançou, diante de um aumento nos impostos decretado pelo rei George III, a revolta conhecida como Boston Tea Party (Festa do Chá de Boston). O episódio foi o marco inicial da luta pela independência americana, quando colonos disfarçados de índios invadiram as docas e lançaram ao mar todo o carregamento de chá trazido por companhias inglesas de comércio, um dos produtos mais taxados.

A Declaração da Independência está cheia de ideias maçônicas. Não era para menos: 15 dos 56 signatários do documento eram maçons ou provavelmente eram maçons (oito eram com certeza e outros sete provavelmente eram, uma vez que as evidências não são conclusivas).

Embora representem a minoria em termos numéricos, os mais destacados articuladores da Revolução Americana eram conhecidos maçons: George Washington, Benjamin Franklin e Thomas Jefferson – deste último, o principal autor da Declaração de Independência, sabe-se que era humanista e, quase certamente, maçom.

Além deles, o general La Fayette, o estrategista francês que lutou ao lado dos revolucionários e sem o qual, segundo muitos historiadores admitem, a independência não teria sido conquistada, era maçom. Aliás, a participação da França na guerra da independência americana era fomentada pelos maçons daquele país. E não só La Fayette era maçom, mas a grande maioria dos líderes do Exército Continental – como se chamou a força constituída pelos colonos americanos na guerra de independência – era composta de maçons. Tanto os oficiais franceses voluntários no conflito quanto a imensa maioria dos oficiais de George Washington eram maçons.

Vale ressalvar que o mesmo acontecia do lado britânico. Ao longo do século XVIII, a Maçonaria estabeleceu raízes fundas nas instituições militares britânicas. A coroa inglesa via na fraternidade uma oportunidade para avançar seus interesses comerciais e políticos. Em 1732, foi fundada a primeira Loja militar inglesa, no Primeiro Regimento da Infantaria. Em 1800, praticamente todos os regimentos possuíam Lojas. Na marinha real, não foi diferente. Lojas maçônicas funcionavam a bordo de diversos navios. Essas Lojas itinerantes contribuíram incrivelmente para a disseminação da Maçonaria pelo mundo. Serviam, também, como refúgio para os maçons perseguidos.

Porém, foram os maçons americanos que venceram a Guerra da Independência. Com o final do conflito, era imperativo estabelecer as bases legais e políticas da nova nação: fazia-se necessário criar uma Carta Magna. E quando a Convenção da Constituição foi aberta na Filadélfia, em 25 de maio de 1787, iniciando o trabalho para conceber e construir o mecanismo de governo do novo país, a primeira voz a ser ouvida foi a de Edmund Randolph, um maçom notório.

Na época, Randolph era membro da Loja Williamsburg. Ele havia sido ajudante de ordens do general George Washington durante a revolução. No governo deste, Randolph viria a ser secretário de Estado, o primeiro dos Estados Unidos, e, em seguida, governador da Virgínia e Grão-Mestre da Grande Loja da Virgínia.

De acordo com o pesquisador Michael Howard, citado por Andrew Sinclair, "havia em última instância cinco espíritos dominantes por trás da Constituição: George Washington, Benjamin

Franklin, Edmund Randolph, Thomas Jefferson e John Adams. Os três primeiros eram maçons ativos que levavam a Maçonaria extremamente a sério". Segundo o pesquisador, eram homens que seguiam fervorosamente "os ideais que adotaram, cuja orientação era inteiramente moldada e condicionada por esses ideais".

Embora não existam evidências conclusivas em relação a Thomas Jefferson e John Adams, a posição de ambos era idêntica à de Washington, Franklin e Randolph. Tanto que, quando Adams chegou à presidência dos Estados Unidos, ele nomeou um proeminente maçom para ser Presidente da Corte Suprema.

Não é exagero dizer que a Constituição dos Estados Unidos é, de fato, um documento maçônico. Prova disso é que, dos quarenta signatários da Constituição, 22 eram maçons e outros seis viriam a ingressar na Ordem nos anos seguintes.

Outra clara mostra da influência maçônica nos primórdios dos Estados Unidos é o juramento de Washington. Ao assumir como primeiro presidente da nova nação, George Washington prestou juramento a Robert Livingston, Grão-Mestre da Loja Maçônica de Nova York. A Bíblia sobre a qual Washington jurou era a que permanecia no altar da própria Loja.

Herança Maçônica

O simbolismo maçônico, outra clara indicação da influência da Ordem na fundação dos Estados Unidos, também está presente nos ícones da nação.

O símbolo maçônico mais visível está impresso na nota de um dólar: a pirâmide com o Olho que Tudo Vê. Sobre esse símbolo maçônico, Michael Howard afirma que "em 14 de dezembro de 1789", ano em que Washington foi eleito o primeiro presidente dos Estados Unidos, foram feitas propostas para a fundação de um Banco Nacional. Thomas "Jefferson se opôs a essas propostas, mas Washington assinou todas elas." Assim, "na nota do dólar americano foi impresso o 'Grande Selo' dos Estados Unidos. Não há dúvida de que é [um símbolo] maçom".

A MAÇONARIA E A DEMOCRACIA

A nota de um dólar contém o Grande Selo dos Estados Unidos, no qual figuram importantes símbolos maçônicos: o Olho que Tudo Vê, a Grande Pirâmide, a estrela de seis pontas, a águia, as frases *Novus Ordo Seclorum* (Era da Nova Ordem, isto é, quando os ideais maçônicos de justiça e liberdade se tornarão a lei), *Annuit Coeptis* (Ele [Deus] Favorece Nosso Empreendimento) e o lema *E Pluribus Unum* (De Muitos Um) – estas duas últimas frases com treze letras, como os outros elementos do Grande Selo, isto é, treze degraus na pirâmide, treze ramos na garra esquerda da águia e treze flechas na direita. De fato, esses símbolos são um código que revela as verdadeiras origens e o destino dos Estados Unidos.

Raymond Capt, em sua monografia *Our Great Seal – The Symbols of Our Heritage and Our Destiny*, afirma que o Grande Selo dos Estados Unidos "revela a verdadeira origem e destino da nação". Para Capt, o símbolo foi criado e adotado por "homens que reconheciam a presença do Grande Arquiteto do Universo e que se submetiam a sua vontade, revelada nas Escrituras e nas Leis da Natureza". De acordo com Capt, esses maçons "planejaram um governo em conformidade com Seu grande Plano". Eles reconheciam que a maior tarefa dos Estados Unidos estava comprometida com a meta estabelecida no Plano – "o estabelecimento do Reino de Deus na Terra".

Perfis Maçônicos

George Washington

No livro *Washington: An Abridgement*, Richard Harwell registra a iniciação maçônica do primeiro presidente dos Estados Unidos. "Em 1 de setembro de 1752, uma nova Loja maçônica promoveu sua primeira reunião em Fredericksburg e logo atraiu membros. Sob o mestre Daniel

Campbell, foi iniciado um grupo de cinco em 4 de novembro [daquele mesmo ano]. George [Washington], um membro desse grupo, pagou a taxa de iniciação de 23 libras e começou como Aprendiz."

O mesmo autor afirma que, quando se candidatou a primeiro presidente, Washington recebeu tanto apoio nos estados do sul como na Nova Inglaterra federalista. Grande parte desse apoio vinha dos maçons, os quais "se orgulhavam de [ter] Washington como irmão".

Sobre a cerimônia maçônica de colocação da pedra fundamental na construção do Capitólio, Harwel escreve que o presidente Washington "pegou a estrada para a jornada relativamente curta até a Cidade Feral [hoje, Washington, D.C.]". Lá, "o presidente presenciou o esplendor da música e dos tambores, das bandeiras coloridas e dos muitos maçons em seus trajes de gala". Harwel atesta que foi um acontecimento "memorável para a Ordem Maçônica, exacerbado ainda mais pela participação de Washington, um membro da Ordem".

Howard conta, em *The Temple and the Lodge*, que "subsequentemente, o Capitólio e a Casa Branca se tornaram pontos focais de uma elaborada geometria a governar o plano urbano da capital da nação. Essa geometria, originalmente imaginada por um arquiteto chamado Pierre L'Enfant, foi modificada por Washington e Jefferson para produzir padrões especificamente octogonais que incorporavam a cruz usada pelos templários maçônicos".

Benjamin Franklin

Em seu livro, *The Occult Conspiracy – Secret Societies – Their Influence and Power in World History*, Michael Howard descreve Ben Franklin como "uma das figuras mais influentes da Revolução Americana". Além de revolucionário, Franklin foi filósofo, escritor e cientista. Originalmente, era quaker, mas iniciou-se na Maçonaria em 1731, quando começou a frequentar a Loja de São João na Filadélfia, a primeira dos Estados Unidos. Nessa época, ele trabalhava como jornalista e escrevia diversos artigos pró-maçônicos. Em 8 de dezembro de 1730, Benjamin Franklin publicou no seu jornal, *The Pennsylvania Gazette*, o primeiro texto sobre Maçonaria da América do Norte. O artigo, no qual Franklin fazia um relato geral sobre a Ordem, afirmava que "havia várias Lojas maçônicas nesta Província". Franklin tornou-se Grão-Mestre provincial da Pensilvânia em 1734. Naquele mesmo ano, ele publicou o primeiro livro sobre Maçonaria dos Estados Unidos, *A Constituição de Anderson*.

Quando visitou a França nos anos 1770, na condição de diplomata das treze colônias americanas, Franklin foi feito Grão-Mestre da Loja Nove Irmãs de Paris. Entre os membros dessa Loja, estavam Danton, que teria um papel proeminente na Revolução Francesa, e o general La Fayette, que comandou as forças francesas na Guerra da Independência dos Estados Unidos, aliadas dos americanos. Em Paris, o revolucionário Franklin usou seus contatos na Maçonaria para angariar fundos para armar as forças rebeldes, o chamado Exército Continental.

Alguns livros sobre teorias da conspiração levantam rumores de que Franklin era igualmente Grão-Mestre da Ordem Rosa Cruz e que estava no centro das operações dos *Illuminati* para estabelecer uma sociedade maçônica nos Estados Unidos e diminuir a influência britânica em todo o mundo.

Thomas Paine

Em Janeiro de 1776, o teísta Thomas Paine publicou o panfleto *Bom Senso*, que mudou a opinião pública a favor da declaração da independência. Os argumentos de Paine contra todos os tipos de monarquia lançaram por terra qualquer simpatia que ainda pudesse haver com relação à Grã-Bretanha. Em 4 de julho de 1776, o Congresso Continental baseou-se no texto de Paine para declarar as colônias como um Estado livre e independente.

Paine dizia que sua mente era sua religião. Embora não haja evidências que o relacionem diretamente à Maçonaria, ele provavelmente era maçom. Seu interesse pela Ordem era notório. Ele escreveu favoravelmente sobre a Maçonaria. De acordo com Rizzardo da Camino, seu panfleto *A Origem da Franco-Maçonaria* propõe que a Ordem incorporava elementos do culto ao sol dos antigos druidas e que era uma alternativa legítima ao cristianismo.

AS IRMANDADES DE CONSTRUTORES: A MAÇONARIA OPERATIVA NO BRASIL

Os construtores portugueses que vieram ao nosso País no início da colonização trouxeram para cá as formas de organização e os regulamentos dos construtores medievais.

Tiveram proeminência na vida das cidades coloniais e, possuidores do ideal democrático como orientação, estiveram à frente de importantes movimentos de independência do País.

A atividade da construção inicia-se aqui a partir de 1530, quando Portugal estimulou a colonização da nova terra com a criação das capitanias hereditárias e a fundação das primeiras vilas – São Vicente, em 1532, Igaraçu e Olinda, em 1535.

Contudo, com o fracasso do modelo das capitanias hereditárias, o impulso mais importante ao início da atividade da construção no Brasil deu-se em 1549, quando a cidade de Salvador, sede do governo-geral, foi fundada por Tomé de Sousa. Para tanto, o primeiro governador-geral do País trouxe o arquiteto Luís Dias, que projetou a capital da colônia, incluindo o palácio do governador, igrejas, as primeiras ruas, largos e casas, além da indispensável fortificação ao redor do povoamento.

Por conta da necessidade de construção de vilas, engenhos, fazendas, igrejas e fortes, carpinteiros, pedreiros e entalhadores começaram a vir para cá. Muitos desses profissionais que chegavam de Portugal eram mestres em seus ofícios. Tinham certificados profissionais, provenientes, principalmente, da cidade do Porto e do Norte de Portugal. Ao estabelecerem-se na colônia, pediam às câmaras municipais permissão para continuar a exercer seus ofícios no Brasil.

Esses pedreiros trouxeram várias técnicas de construção desenvolvidas ao longo de séculos em Portugal. Tradicionalmente, tal conhecimento era transmitido oralmente pelos mestres aos seus aprendizes. No Brasil, porém, os primeiros construtores adaptaram suas técnicas às realidades materiais, sociais e econômicas de cada região da nova terra.

Os responsáveis pelos primeiros projetos arquitetônicos no Brasil, chamados de "riscos", conforme o termo da época, eram, em sua maioria, religiosos e engenheiros militares. Havia, ainda, um terceiro grupo de construtores do Brasil colonial, o qual detinha conhecimento prático, "operativo". Eram os mestres de obras, mestres-pedreiros e carpinteiros, responsáveis pela execução dos trabalhos. Esses profissionais, ou "oficiais", eram chamados, naquele tempo, de "mecânicos", dividiam-se em pedreiro, marceneiro, carpinteiro (ou "carpina") e, curiosamente, os tanoeiros, os fabricantes de barricas e tonéis. Isso se devia ao fato de trabalharem com madeira, da mesma forma que os construtores, e usarem instrumentos semelhantes.

Embora o pedreiro fosse, por definição, o oficial que erguia paredes e aplicava as argamassas de revestimentos sobre elas, muitos também criaram "riscos". Apesar de não terem formação teórica em arquitetura, seu sólido conhecimento prático, adquirido nos canteiros de obras, permitia serem contratados para projetarem edifícios. Muitos desses mestres de obra, como Antônio Fernandes Matos e Manuel Ferreira Jácome, em Pernambuco, e José Pereira dos Santos, José Pereira Arouca e

Francisco de Lima Cerqueira, em Minas Gerais, conquistaram posições de destaque nas cidades coloniais onde a atividade da construção era mais desenvolvida, como Recife, Rio de Janeiro, Salvador e Vila Rica.

Com a retirada dos holandeses do Nordeste, em 1661, os portugueses restabeleceram seu domínio em Pernambuco e a metrópole intensificou a reconstrução dos núcleos urbanos de Pernambuco e da Bahia. O fluxo migratório intensificou-se ainda mais. Mercadores, mestres de ofícios e aventureiros vieram de Portugal buscando preencher as vagas deixadas pelos oficiais holandeses e judeus. O restabelecimento do comércio com o reino oferecia, de fato, grandes oportunidades a esses trabalhadores.

Dessa forma, a partir, principalmente, do século XVIII, Recife, já bastante desenvolvido pelos holandeses, com suas ruas repletas de casas comerciais, pontes, igrejas e sobrados e sua concentração populacional que demandava cada vez mais bens e serviços, era um dos principais centros a atrair "mecânicos" das mais diversas especialidades. E nesse quadro de progresso e crescimento, os oficiais da construção estavam entre os mais requisitados. Esses trabalhadores passaram a organizar-se em corporações, seguindo o modelo predominante em Portugal, mas aqui desenvolvendo uma feição própria, local.

As Corporações

Como vimos, as corporações profissionais existiam desde a Antiguidade.

Na Grécia e em Roma, suas funções eram homenagear os membros que morriam, prestar auxílio às viúvas, aos doentes e aos inválidos, e regulamentar o preço dos produtos. A partir dos antigos construtores judeus e romanos, essas associações difundiram-se pela Europa. Entre os séculos XI e XII, existiram nas cidades alemãs, britânicas, francesas e espanholas as guildas, associações com caráter espiritual que reuniam trabalhadores de uma mesma categoria profissional.

Em Portugal e no Brasil colonial, as corporações eram associações autorizadas por lei de profissionais que exerciam o mesmo ofício. Assim, a exemplo da camaradaria francesa, cujo exemplo já visitamos, as corporações eram formadas por homens livres com o objetivo de ajudarem-se mutuamente tanto no aspecto material quanto no espiritual. Tratavam-se como irmãos e cada confrade tinha a obrigação de contribuir com uma série de taxas para as despesas necessárias à manutenção da organização.

Em Portugal, as corporações organizaram-se inicialmente em confrarias religiosas. Mais tarde, com o aumento da concentração urbana naquele país, os artífices reuniam-se nos chamados "mesteirais" – termo com o mesmo sentido de "corporação". Essas organizações de trabalhadores passaram a ter grande ascensão na vida das cidades portuguesas a partir das últimas décadas do século XIII.

A Era dos Descobrimentos transformou esse cenário, desenvolvendo nas corporações de ofícios características tipicamente lusitanas. Elas tornam-se "Confrarias" e "Irmandades", o que implicava uma relação de compromisso entre seus membros. Com efeito, passam a ser regidas por "Compromissos", isto é, atos voluntários firmados entre os confrades, e por "Regimentos", um conjunto de normas obrigatórias que normatiza o exercício daquela profissão, confirmado pelo rei ou aprovado pela câmara local.

Outro aspecto das corporações profissionais portuguesas que veio a se repetir no Brasil é a manutenção de "hospitais", que serviam tanto de albergue para viajantes como de enfermaria, abrigo de pobres e centro de confrarias religiosas e corporativas.

AS IRMANDADES DE CONSTRUTORES

Os mesteirais lusitanos eram caracterizados ainda pela "Casa dos Vinte e Quatro", por meio da qual os "mecânicos" garantiam sua participação no governo municipal. A Casa dos Vinte e Quatro foi criada em Lisboa no reinado dom João I, em 1422, e perdurou naquele país até 1834. Por meio dela, os ofícios eram representados na câmara local, não só regulamentando os diversos aspectos da profissão, mas também auxiliando os vereadores nas questões técnicas relativas à sua atividade e deliberando sobre assuntos da cidade.

Era um arranjo genuinamente democrático. Os líderes dos artesãos elegiam, anualmente, entre os membros de sua corporação, 12 ou 24 representantes. Entre estes, eram escolhidos quatro que se tornariam os procuradores dos ofícios, com direito a participar das sessões de vereança – as sessões nas câmaras municipais em que os vereadores deliberam e criam legislações.

Entre 1481 e 1482, a câmara de Lisboa nas Cortes Gerais determinou que o exame dos ofícios fosse obrigatório, medida que também viria a ser adotada na colônia, meio século depois. Assim, um mestre só poderia exercer determinada profissão se fosse aprovado em um exame que determinava sua habilidade. Na mesma época, a Coroa exigiu que todos os ofícios elaborassem regimentos próprios e que as câmaras escolhessem dois juízes para fiscalizar o cumprimento dessas regras. Esses "juízes de ofício" também eram convocados para dar pareceres de obras públicas e para participar de cerimônias públicas. Com essa posição, os líderes dos "mecânicos" conquistavam grande prestígio social, embora os juízes de ofício não tivessem acesso a títulos de nobreza.

No Brasil, as corporações de ofício adquiriram traços próprios. Aqui, por conta da situação de dependência política, das formas de exploração econômica e do escravismo, não se desenvolveram organizações de ofícios mecânicos no mesmo nível das que existiam em Portugal ou, de um modo geral, na Europa. Enquanto na Bahia, em Pernambuco e no Rio de Janeiro, os oficiais organizaram instituições profissionais, em outras províncias, a regulamentação das profissões ficava a cargo do governo municipal.

Os construtores de Minas Gerais ergueram algumas das obras mais notáveis do período colonial, muitas das quais repletas de símbolos maçônicos, como a de São Francisco, em Ouro Preto, cujos "riscos" são de autoria de Antônio Francisco Lisboa (1730 – 1814), o Aleijadinho. Os construtores mineiros organizaram-se, porém, não com a intenção de regulamentar a profissão. Em Minas, uma das marcas do trabalho dos artífices era seu caráter "liberal". Os artesãos eram livres para trabalhar e vender os seus produtos ou mesmo sua força de trabalho, desembaraçados de instituições, regras e leis. Dessa forma, o corporativismo que regia as atividades mecânicas na Europa não vingou na região das minas. Nesse estado, os artesãos reuniam-se em irmandades. O oficial construtor, em geral, trabalhava sozinho, auxiliado apenas pelos seus ajudantes e escravos.

Irmandades dos Oficiais Construtores

Por conta da predominância do trabalho escravo, da indústria caseira, da escassez de artífices livres e da própria estrutura comercial local, as corporações de ofício adquiriram, conforme dissemos, feições próprias, mas conservaram algumas das funções para as quais foram criadas na Europa.

Essa feição particular pode ser observada na definição que Gilberto Freyre faz das corporações de ofício de Pernambuco. Em *Sobrados e Mucambos*, o sociólogo pernambucano define as corporações como associações formadas por oficiais mecânicos, nas quais os mecânicos organizados em irmandades ou dirigidos por juízes de sua escolha tomavam parte na organização do Regimento e na taxação dos preços das respectivas obras.

Assim, no Brasil, grosso modo, os profissionais organizavam-se em "irmandades", uma instituição fundamental para o estudo dos trabalhadores brasileiros, em geral, e os da construção, em particular. Herdadas de Portugal, as irmandades seguiam o modelo das organizações de ofícios medievais europeias, embora adaptado à realidade colonial repleta de restrições impostas pela metrópole.

Em Portugal, as irmandades surgiram nos séculos X e XI, associadas ao desenvolvimento das cidades e das atividades artesanais e comerciais. Eram forças auxiliares do Estado português, ao mesmo tempo em que buscavam avançar os interesses de um determinado local ou categoria profissional. Dessa forma, embora se organizassem a partir das estruturas administrativas da monarquia, as irmandades respondiam aos interesses de diversos grupos sociais – no caso, dos oficiais mecânicos – da localidade.

Essas confrarias, que agrupavam os leigos no catolicismo tradicional, eram um dos principais elementos agregadores da sociedade portuguesa e do Brasil colonial, onde surgem, ainda no início desse período, tornando-se mais presentes nos séculos XVII e XVIII. Foram, com efeito, um dos pilares da ocupação portuguesa tanto na Ásia como na África e na América.

Eram, essencialmente, associações de caridade por meio das quais os irmãos se ajudavam mutuamente nas dificuldades, prestando aos seus membros desde um enterro digno e missas por ocasião da morte até empréstimos em dinheiro, em vida. As condições para o ingresso nessas fraternidades e até mesmo o comportamento dos irmãos eram estabelecidos nos compromissos das irmandades, os quais eram redigidos pelos irmãos.

O culto em comum a um santo era um elemento fundamental dessas instituições. Assim, como em todas as irmandades, as que os oficiais da construção fundaram tinham um santo patrono que possuía afinidade com o ofício. É outra tradição que remonta à

Antiguidade e à Idade Média. Como os trabalhadores de Roma, que tinham deuses patronos das profissões, os pedreiros, os carpinas e os marceneiros também cultuavam seu santo, nesse caso, o carpinteiro São José.

As irmandades dos oficiais da construção estão entre as primeiras do Brasil, estabelecidas aqui, pelo menos, desde o século XVII. A irmandade do Bem-Aventurado Patriarca de São José, no Rio de Janeiro, é de cerca de 1608 e está entre as mais antigas da cidade. Reunia pedreiros, carpinteiros, marceneiros e canteiros. A irmandade carioca determinava que, para se tornar um Oficial ou Mestre e manter a posição, era necessário cumprir uma série de regras: ingressar na irmandade, obter licença para exercer o ofício e efetuar pagamentos (de entrada, anuais, taxas de exame). O mesmo acontecia na Irmandade do Patriarca São José da capital baiana e, em Recife, na Irmandade de São José do Ribamar.

A irmandade era regida por um compromisso amigo, ou seja, sem confirmação do rei. Esse compromisso era votado democraticamente e nem mesmo os juízes de ofício, escolhidos pelos irmãos para representar seus interesses na câmara municipal, podiam alterar o documento sem a anuência dos confrades, pois isso poderia interferir nos direitos dos mestres e ameaçar sua autonomia.

Além dos compromissos, as irmandades de ofícios produziam um Regimento que regulamentava diversos aspectos das profissões. Esse estatuto, escrito e democraticamente "confirmado" por voto secreto, era submetido ao governo real para aprovação.

Essas regulamentações do exercício do ofício eram respeitadas pelo resto da sociedade e protegiam os membros da categoria, evitando interferências na sua atuação. A independência da irmandade dos oficias da construção era tanta que até mesmo a punição de delitos cometidos por seus membros no exercício do ofício era sua responsabilidade.

Contudo, para regular as liberdades que os oficiais gozavam, as câmaras das maiores cidades coloniais exigiam que os mestres fossem examinados. No Recife, até 1770, vigorou uma carta de lei que determinava que ninguém exercesse arte alguma sem "carta de examinação" de seu ofício, cujos títulos eram passados pela câmara local.

Nas irmandades de ofícios mecânicos, as gradações variavam entre Mestres, Oficiais (também chamados de Jornaleiros) e Aprendizes. Os oficiais recebiam salário, ou "jornal", e os aprendizes, apenas alojamento e alimentação. Somente os mestres "examinados", isto é, que foram avaliados e aprovados pelo governo municipal, podiam instruir aprendizes ou escravos.

A Irmandade de São José de Ribamar de Recife

A Confraria e Irmandade de São José do Ribamar dos Quatro Ofícios Anexos congregava mestres carpinteiros, pedreiros, marceneiros e tanoeiros no Recife colonial.

Seu principal objetivo era organizar os trabalhadores dessas profissões. Os pedreiros e outros oficiais da construção de Recife reuniam-se em uma igreja própria, onde deliberavam sobre questões do ofício e problemas relacionados com a vida privada dos associados, como enterros, empréstimos ocasionais e outras ações assistenciais. Em 1735, a Irmandade de São José instalou-se na Igreja do Hospital do Paraíso, no Bairro de Santo Antônio. Os irmãos permaneceram nessa sede, só saindo para sua própria igreja em 1774.

A estrutura do Hospital do Paraíso baseava-se no modelo medieval: era fundado pela iniciativa civil e mantinha-se a partir de um patrimônio rural, com terras destinadas à agricultura. No Hospital, havia uma biblioteca pública e uma sala convenientemente equipada para aula de desenho – conhecimento fundamental para os mestres de obra.

A MAÇONARIA E A DEMOCRACIA

O Hospital do Paraíso dos irmãos pedreiros e carpinteiros era associado à Academia do Paraíso e a outras sociedades secretas envolvidas na Revolução Pernambucana. Eram sociedades de Maçonaria Especulativa, que congregavam membros de outras profissões que não as da construção. As práticas democráticas adotadas pelos oficiais da construção nas suas organizações levaram à Revolução de 1817, que antecipa em cinco anos a independência do Brasil.

Promovida pelas várias sociedades secretas do Recife, liderada por Domingos José Martins, com o apoio de Antônio Carlos de Andrada e Silva e do Frei Caneca, e contando com o apoio de oficiais de várias irmandades de ofício, entre elas os da construção, a revolução começou com a ocupação daquela cidade em 6 de março de 1817. Depois de tomar o Governo Provincial, os rebeldes se apossaram do tesouro da província, instalaram um governo provisório e proclamaram a República. A nova República chegou a convocar uma assembleia constituinte que elaborou uma Constituição, que estabelecia a separação entre os poderes Legislativo, Executivo e Judiciário, mantinha o catolicismo como religião oficial, mas garantia a liberdade de culto e proclamava a liberdade de imprensa.

A coroa, porém, não tardou em enviar tropas para retomar Pernambuco. Em uma rápida campanha, que contou com um contingente de oito mil homens e promoveu o bloqueio do porto do Recife com navios de guerra, em 19 de maio, as tropas portuguesas entraram no Recife e encontraram a cidade abandonada e sem defesa. O governo provisório, isolado, rendeu-se no dia seguinte.

Altar em loja na cidade de Bruxelas, Bélgica.

A MAÇONARIA E A INDEPENDÊNCIA DO BRASIL

Além da América do Norte, a Maçonaria propagou os ideais democráticos das organizações de construtores para as colônias da França e da Holanda.

No Caribe, nas possessões inglesas, francesas e holandesas, várias Lojas foram fundadas ainda na década de 1740. A primeira delas foi instalada na Jamaica, em 1739, mas surgiram tantas outras que foi necessário a Grande Loja Mãe do Mundo designar um grão-mestre de distrito. Foi o governador da Jamaica, Edward Trelawny, que elaborou um plano de independência das colônias espanholas, considerando, porém, os interesses comerciais da Inglaterra.

Entre 1739 e as décadas de 1810 e 1820, quando as possessões espanholas se tornaram independentes, o Caribe virou um centro maçônico.

Durante os movimentos de libertação, o vínculo maçônico entre Londres e as Américas se deu por meio de uma figura controversa e obscura, mas cuja influência foi determinante: o jornalista brasileiro Hipólito José da Costa.

O futuro fundador do jornal Correio Brasiliense nasceu em 1774, em Colonia del Sacramento, hoje Uruguai, mas, na época, a cidade pertencia a Portugal. O brasileiro foi iniciado na Loja da Universidade de Coimbra, em Portugal, onde Hipólito concluiu seus estudos. Protegido pelo também maçom Rodrigo de Sousa Coutinho, o conde de Linhares, Hipólito foi à Filadélfia, EUA, onde se filiou. De lá, promulgou ideias libertárias no México e teve problemas com o cônsul espanhol.

Nos anos 1810, fundou Lojas em Londres, para onde havia se retirado depois de voltar dos Estados Unidos. A posição que Hipólito conquistou na Inglaterra revela seu destaque como intermediário entre os maçons ingleses e os revolucionários ibero-americanos. Em 1819, Hipólito era um dos três líderes do Supremo Conselho para as Ilhas Britânicas e suas possessões. Os outros dois membros do trio de notáveis não eram ninguém menos do que o duque de Sussex, Grão-Mestre da Inglaterra, e o duque de Leinster, Grão-Mestre da Irlanda. "A presença de Hipólito na 'Grande Loja Mãe do Mundo', ainda ativa em nossos dias, jamais foi igualada por nenhum outro americano, onde alcançou posição invejável, sob proteção direta do duque de Sussex", escreveu o autor maçônico Rizzardo da Camino.

Ativo escritor, autor de diversas obras, foi também o fundador do Correio Brasiliense. Por meio desse jornal, Hipólito dedicou-se a noticiar as revoluções da América espanhola. De junho de 1808 a dezembro de 1822, ano da independência do Brasil, Hipólito publicou 175 números do jornal.

As ações de Hipólito, porém, iam bem além de fomentar e divulgar o desejo de independência por meio dos seus escritos. O jornalista constituiu uma verdadeira rede de agentes em toda a América ibérica. Esses maçons recebiam orientações políticas de Hipólito e punham-nas em prática por meio das Lojas. Um dos amigos de infância de Hipólito, Nuno Baldez, foi um dos elementos-chave na conspiração hispano-americana. Apesar de a atuação de Hipólito ter sido mais forte em Buenos Aires do que no Brasil, na história dos movimentos de independência americanos, provavelmente nenhum outro homem lutou ao mesmo tempo, como fez Hipólito contra as coroas espanhola e portuguesa.

A força da fraternidade maçônica nos movimentos de independência das colônias espanholas foi determinante. Acabou até sendo estampada nos seus símbolos nacionais: as cores azul e branca usadas nas bandeiras argentina e uruguaia são as mesmas adotadas pelas Maçonarias inglesa e irlandesa.

No Brasil, a Inconfidência Mineira é outro bom exemplo. Muitos pesquisadores afirmam que Tiradentes era "pedreiro-livre". Não se sabe, porém, onde e quando Tiradentes tornou-se membro da Ordem Maçônica. Embora haja muita divergência em torno desses fatos, sabe-se, com certeza, que Tiradentes era maçom. O historiador Joaquim Felício dos Santos, que viveu e escreveu no século XIX, atestou que "a Inconfidência de Minas foi dirigida pela Maçonaria. Tiradentes e quase todos os conjurados eram pedreiros-livres".

Rizzardo da Camino concorda. "Tiradentes, Alvarenga e Francisco de Paula (comandante do alferes Tiradentes) eram tidos como 'mazombos', nome dado na época aos maçons, e se reuniam em uma chácara de propriedade de Francisco de Paula, onde foram traçados os ousados planos de independência", escreveu o autor. Afirma-se que Tiradentes chegou mesmo a fundar uma Loja maçônica em Diamantina, então Tijuco, buscando congregar elementos interessados no movimento revolucionário.

Tiradentes era alferes, um posto militar do exército colonial que estava entre o primeiro-sargento e o tenente e, por causa das suas muitas relações entre os militares, acabou conseguindo apoio de muitos deles. Segundo Felício dos Santos, citado por Rizzardo da Camino, "quando Tiradentes foi removido da Bahia, trazia instruções secretas da Maçonaria para os patriotas de Minas. Em Tijuco, o primeiro que se iniciou foi o padre Rolim, depois o cadete José Joaquim Vieira Couto e seus irmãos".

Logo se formou um triângulo de informações entre Tijuco, Vila Rica e Rio de Janeiro. Por meio dos contrabandistas de diamantes ingleses, notícias sigilosas eram enviadas da Europa ao grupo de conspiradores.

Com base na Constituição americana, os inconfidentes elaboraram uma Constituição brasileira. Decidiram também que, com o sucesso da revolta, fariam a capital do novo País em São João d'el-Rei, aboliriam a escravidão e fundariam uma universidade em Vila Rica. A bandeira da nação seria branca com um triângulo azul, branco e vermelho ao centro, com um índio quebrando grilhões, com os dizeres *Libertas quae sera tamem* (Liberdade ainda que tardia) sobre o triângulo. No entanto, como todos sabem, os conspiradores foram traídos. Ironicamente, quem revelou toda a trama ao visconde de Barbacena foi o também maçom Joaquim Silvério dos Reis.

Na sua fase inicial, a Maçonaria no Brasil teve uma forte presença de membros do clero entre suas fileiras. Se a Igreja antagonizava o movimento na Europa, aqui, o clero e a Maçonaria uniam-se visando ao ideal comum de levar o País à sua independência.

As autoridades portuguesas eram tremendamente vigilantes, mas o surgimento de novas Lojas era inevitável. Alimentadas pelo ideal de independência, elas surgiam em todo o País. O grande número de Lojas é uma evidência da intensa organização revolucionária.

Um exemplo é a Irmandade de São José de Ribamar, dos construtores de Recife, que, como vimos, articulou a Revolução Pernambucana de 1817. Com o fracasso da insurreição, a Maçonaria sofreu um sério revés, passando a ser duramente perseguida. Em março de 1818, um ano, portanto, depois que a Revolução Pernambucana estourou, a coroa expediu um alvará proibindo o funcionamento de sociedades como a Irmandade de São José. Mas a medida estava longe de abalar os ânimos dos revolucionários.

Em 1821, com a determinação pelas Cortes de Portugal do retorno de Dom João VI, o Senado aprovou também a viagem de volta do príncipe Dom Pedro. Sem o príncipe regente, o Brasil voltava à condição de colônia. Em resposta, o Clube da Resistência, uma organização maçônica, determinou três providências: consultar Dom Pedro sobre se receberia o movimento para sua permanência no Brasil; obter a adesão do maçom José Clemente Pereira, presidente do Senado e da Câmara; enviar emissários a São Paulo e Minas Gerais para obter adesões.

As metas foram cumpridas. O maçom Francisco Maria Gordilho de Barbuda, um coronel do exército colonial que, mais tarde, tornou-se o marquês de Paranaguá, sondou o príncipe e obteve sua adesão. Como era de se esperar, São Paulo e Minas Gerais corresponderam à expectativa, enviando mensagens de apoio incondicional.

Na sessão de 9 de janeiro de 1822 do Senado da Câmara, o líder da casa e maçom (ou "pedreiro-livre", como se dizia então) José Clemente Pereira (1787 – 1854) discursou a Dom Pedro. O príncipe respondeu dizendo que estava "convencido de que a presença de minha pessoa no Brasil interessa ao bem de toda a nação portuguesa, conhecido que a vontade de algumas províncias assim o requer, demorarei a minha saída até que as Cortes e meu augusto pai e senhor deliberem a esse respeito, com perfeito conhecimento das circunstâncias que têm ocorrido".

Das janelas do Senado, a resposta de Dom Pedro foi transmitida ao povo. Foi uma decepção. Notando o desapontamento que causara, Dom Pedro resolveu mudar a resposta. Determinou, então, que José Clemente Pereira dissesse ao povo a frase que ficou célebre na nossa história: "Se é para o bem de todos e felicidade geral da nação, estou pronto, diga ao povo que fico."

Esse gesto fez que a Divisão Auxiliadora Portuguesa julgasse a posição do príncipe como um ato de rebeldia contra as Cortes. Dom Pedro deveria ser preso e enviado a Lisboa. Porém, os maçons do Clube da Resistência saíram às ruas e levantaram o povo a favor do príncipe. Conseguiram reunir cerca de dez mil pessoas. A multidão dirigiu-se ao Campo de Santana, onde o general Jorge de Avilez, do exército português, reunia seus homens. Com um número muito menor de soldados, Avilez abandonou a luta e retirou-se para Niterói, onde pretendia se fortificar e esperar por reforços. No entanto, a polícia cortou todas as ligações com Niterói, isolando a tropa portuguesa.

Com isso, o movimento nascido no seio da Maçonaria brasileira venceu a batalha. Restava, agora, conseguir uma Assembleia Geral Constituinte. Embora relutante, Dom Pedro convocou a assembleia para 3 de junho de 1822. Faltava apenas efetivar a independência do País.

Sem recear as autoridades, as Lojas maçônicas entraram em plena atividade. "Acorreram às Lojas todos os antigos iniciados; os temerosos perderam o receio; os que estavam sob processo nada mais temiam; os jovens entusiastas da libertação foram imediatamente recebidos, até que na memorável sessão de 13 de julho de 1822, na Loja Comércio e Artes, foi proposto e aceito o nome do candidato Príncipe Dom Pedro, recebendo o nome simbólico de 'Guatimozin'", escreveu Rizzardo da Camino.

A ascensão de Dom Pedro I na Maçonaria foi meteórica. Três dias depois da sua iniciação, ele foi elevado a Mestre e, em 2 de agosto do mesmo ano, a Grão-Mestre. Da Camino justifica essa rapidez inédita: "Como poderia Dom Pedro receber ordens e lições de seu ministro na posição de Venerável da Loja? A Maçonaria jamais poderia diminuir Dom Pedro e melindrá-lo, uma vez que necessitava de toda sua simpatia e apoio".

O que aconteceu depois está em todos os livros de História do Brasil. Em 7 de setembro de 1822, em viagem a São Paulo, Dom Pedro recebeu de um emissário a resposta das Cortes sobre a Assembleia Constituinte. A metrópole não aceitava esse ato nacionalista e ameaçava enviar tropas para reconquistar seu domínio. Irado, Dom Pedro desembainhou a espada – "um reflexo do ritual maçônico", segundo da Camino – e proclamou: "Independência ou morte!."

Surgia, assim, o Império do Brasil. O objetivo da Maçonaria ia, porém, além da monarquia. Os maçons acreditavam que a República traria ao País uma forma de governo ideal para o exercício integral da democracia. Essa tendência ficou clara desde o primeiro momento. Surgiram movimentos republicanos, mas foram todos sufocados. No entanto, depois da Guerra do Paraguai, as autoridades não tiveram mais como conter o desejo do povo de fazer do Brasil uma república.

Em 1870, o maçom Quintino Bocaiuva fundou o jornal *A República*, o primeiro da imprensa republicana. Apesar da repressão – *A República* foi empastelado pelo próprio governo –, outros jornais, como *O Globo* e *A Gazeta da Noite* engrossaram o coro dos insatisfeitos, tornando incontrolável o movimento da imprensa republicana.

Além de jornais, a Maçonaria inspirou a fundação de diversos clubes em todo o País, os quais pregavam abertamente a proclamação da república. A adesão à ideia da república foi maciça em todo o Brasil. Como se sabe, os militares aderiram ao movimento e o Marechal Deodoro da Fonseca proclamou a república em 15 de novembro de 1889. Nenhuma gota de sangue foi derramada. A força da Maçonaria no movimento pode ser claramente constatada no fato de o governo provisório nomeado logo após a proclamação ser composto exclusivamente de maçons.

Embora o tema não seja explorado devidamente nos livros de História, a contribuição da Maçonaria na formação do País e do mundo ocidental é um fato inquestionável. E toda essa revolução em busca do desenvolvimento e da libertação do homem começou há milênios, com o estabelecimento das práticas democráticas cultivadas nas organizações dos antigos construtores.

PERSEGUIÇÕES

A Revolução Francesa, o primeiro movimento que fez emergir a nova realidade propagada pelo Iluminismo, é sempre relacionada à Maçonaria.

Em seu livro *A Franco-Maçonaria Simbólica e Iniciática*, Jean Palou cita um discurso pronunciado em 1790 para recepcionar um candidato na Loja Aurora da Liberdade, em Pas-de-Calais, França, onde fica clara a congruência entre os ideais da Revolução e os da Franco-Maçonaria. "Encontrareis aqui a paz e a candura de vossos costumes; aqui desaparecem as classes; o nível maçônico torna todos os homens iguais; assim reinou sempre entre nós essa amável igualdade que começa a nascer na nação francesa. E é à Maçonaria, sem dúvida, que devemos esse milagre. Os augustos representantes da Nação têm adotado também nossos costumes. Ah! Quando vejo as funções de seus dignitários, o pedido de palavra, o chamado à Ordem, a maneira de votar, a Tribuna, as insígnias de nossos vereadores e, sobretudo, os Direitos do Homem confirmados, sou obrigado a dizer-me: 'nossos representantes são franco-maçons'", afirmou o orador.

Obviamente, as autoridades monárquicas e eclesiásticas reagiram imediatamente à ameaça da Maçonaria e de outras sociedades secretas. Como essas organizações opunham-se à orientação perpetrada pelos poderes papal e real, logicamente, passaram a ser vistas como "hereges" e, mais veementemente, "satânicas". Logo, a Maçonaria começou a ser perseguida em toda a Europa e nas colônias americanas, exceto no Reino Unido. Ao contrário de todas as outras nações, a Inglaterra foi o único país onde a Maçonaria jamais foi perseguida ou banida. Lá, a Ordem sempre foi vinculada à casa real e à igreja anglicana. Uma prova dessa proteção aconteceu em 1799, quando o Parlamento britânico ditou uma lei proibindo toda a atuação das sociedades secretas – exceto a Maçonaria.

Na Península Ibérica, a fraternidade era vista como uma ameaça em potencial. Seus ideais libertários eram diametralmente contrários aos interesses tanto da Espanha quanto de Portugal. Por serem papistas, os dois países usaram o anátema papal de 1735 contra a Maçonaria, o que tornava, ao menos em tese, quase impossível a penetração da instituição nas colônias espanholas e portuguesas.

Por conta dos conceitos místicos não autorizados pela Igreja, várias encíclicas foram publicadas contra a fraternidade. A mais longa delas, Humanum Genus (O gênero humano), do papa Leão XIII, foi produzida em 1884. Nela, Leão XIII determinava claramente que os maçons eram satanistas ou adoradores de Satã. Essas ideias já não eram novas na época em que Leão XIII publicou sua encíclica. A fama de satanistas – bem como a de os maçons serem conspiradores que tramavam perverter a ordem mundial – foi sendo criada ao longo do século XVIII, segundo alguns autores, principalmente depois da publicação, em 1798, do livro do britânico de John Robison, *Proofs of a Conspiracy Against All the Religions and Governments of Europe, Carried on in the Secret Meetings of Free Masons, Illuminati and Reading Societies, Collected from Good Authorities* (Provas de uma Conspiração Contra Todas as Religiões e Governos da Europa, Executados Durante as Reuniões Secretas das Sociedades dos Maçons, Illuminati e Leitora).

PERSEGUIÇÕES

Porém, se o livro de Robison contribuiu para estabelecer a fama de conspiradores dos maçons, foi a Igreja de Roma quem mais se esforçou para firmar a ideia de que a Maçonaria é subversiva.

Ainda no século XVIII, em sua Bula Papal Relativa aos Maçons, o primeiro papa a erguer o dedo contra a Maçonaria, Clemente XII, não perdeu tempo para demonstrar, "do ponto de vista católico, político, moral e social", o motivo pelo qual "as associações maçônicas devem ser condenadas", isto é, "o caráter não sectário naturalista, na verdade anticristão e anticatólico, peculiar da Maçonaria". Mas a Igreja de Roma não foi a única a condenar os maçons. Além dela e dos governos de praticamente todos os países onde a Maçonaria se estabeleceu, as Igrejas protestantes também fizeram objeções à Ordem. A Enciclopédia Católica informa que "as primeiras medidas contra a Maçonaria foram tomadas por governos protestantes: Holanda, em 1735, Suécia, e Genebra em 1738; Zurique, em 1740; Berna, em 1745".

Hoje, a atuação política da Maçonaria parece ter diminuído. Com os grandes lobbys internacionais, a força de atuação da Ordem encontra, no mínimo, rivais à altura. Alguns maçons propõem, até mesmo, repensar o papel da Maçonaria no terceiro milênio. A Igreja, porém, continua a fazer objeções à fraternidade. Muitos maçons veem essas observações como distorções. "A Maçonaria cabe dentro do Cristianismo, da mesma forma como o Cristianismo cabe na Maçonaria", diz o escritor maçom Rizzardo da Camino.

PARTE II
O SIMBOLISMO MAÇÔNICO

AS ORIGENS NOS ANTIGOS MISTÉRIOS

Filosofia Maçônica

Muitos entendem a Maçonaria apenas como uma ordem fraternal mundial que forma uma rede de negócios, de disseminação de ideias políticas e de caridade. No entanto, os maçons acreditam que a Maçonaria é melhor definida como uma filosofia.

Numa frase, a filosofia maçônica pode ser definida como "a busca pela valorização do homem". Seus ritos e suas cerimônias procuram despertar, por meio de iniciações, os potenciais de cada um, para que a pessoa possa realizar-se e ser feliz. Seu objetivo, segundo o autor maçom Rizzardo da Camino, é fazer da "Terra um paraíso dos homens, sem distinção de classes nem privilégios, permitindo à humanidade viver honrada e feliz, sob uma só lei, idêntica para todos".

Para os maçons, a filosofia não é um processo meramente intelectual, analítico, horizontal, mas uma atitude racional e, ao mesmo tempo, espiritual. Por meio dela, os membros da Ordem buscam "uma vivência do centro do Cosmos". O Cosmos, na visão maçônica, é o centro do Universo, e este, por sua vez, é o centro do homem.

A Maçonaria prepara o homem para que ele possa encontrar, por si mesmo, o caminho que o conduz ao seu âmago divino; busca capacitá-lo à vida, unindo-o ao Grande Arquiteto do Universo. Essa "experiência maçônica" – o encontro com a centelha divina que haveria em todos nós – é uma vivência individual que o maçom tem com o Grande Arquiteto do Universo. Para conseguir isso, tem de criar um ambiente propício, uma atmosfera especial.

O maçom, o "homem-símbolo", deve crer na realidade de um mundo invisível, mesmo sem ainda apreender o que isso significa. Deve crer que dentro dele está todo o Universo. E é daí, de dentro, que o Grande Arquiteto do Universo virá.

O objetivo da Maçonaria é, portanto, conhecer o homem, o eterno desconhecido, para que ele possa ser feliz. Nada mais maçônico, portanto, que os dizeres gravados há mais de 2.500 anos no pórtico de entrada do Oráculo de Apolo, em Delfos, Grécia: "Conhece a ti mesmo". "O pleno conhecimento é a realização do homem". Conhecer a si mesmo significa reconhecer a centelha divina que há no homem, aquilo que o filósofo alemão Schelling chamou de "o eterno em nós". Quando o homem se conhece, ele busca a harmonização com o "Grande Arquiteto do Universo".

Nesse sentido, a Maçonaria inclui-se nas principais tradições de sabedoria, pois traz nessa busca pela descoberta da centelha divina em nós e de sua consequente harmonização com o Universo aquilo que é o cerne comum a todas as religiões e tradições, chamada pelo filósofo alemão Gottfried Leibniz (1646 – 1716) de "Filosofia Perene". O termo foi usado pela primeira vez por um escritor cristão alemão do século XVI e explorado, subsequentemente, por Leibniz e pelo romancista e dramaturgo inglês Aldous Huxley. Trata-se do cerne das grandes tradições de sabedoria e religiões. No livro *A Filosofia Perene*, de Huxley, o escritor afirma que os rudimentos da filosofia perene estão "no saber tradicional de povos primitivos em todas as regiões do mundo, e, em suas formas mais elevadas e desenvolvidas, em cada uma das religiões mais elevadas". Daí o nome "filosofia perene": é uma percepção comum a toda a humanidade que surge em épocas e lugares diferentes, mas sempre com a mesma essência. "Uma versão desse máximo denominador comum de todas as teologias precedentes e subsequentes", prossegue Huxley, "foi posta por escrito pela primeira vez há mais de vinte e cinco séculos, e, desde essa época, o tema inexaurível tem sido tratado inúmeras vezes, do ponto de vista de cada tradição religiosa e em todos os principais idiomas da Ásia e da Europa". Dessa forma, a Maçonaria encerra em si os preceitos da filosofia perene.

Há, porém, maçons que vão além e dizem que é da Maçonaria que saiu o núcleo filosófico de todas as religiões. Em *Pequena História da Maçonaria*, C.W. Leadbeater 33° atesta que "a Maçonaria é realmente o coração de todas as religiões e não deve, definitivamente, limitar-se a nenhuma...".

Os Mistérios da Antiguidade: Primórdios da Maçonaria

A essência da filosofia da Maçonaria, bem como as ideias e os ideais que a permeiam, são muito mais antigos do que se possa imaginar.

Alguns autores afirmam que essa essência vem acompanhando a humanidade desde os seus primórdios. Afirmam também que ela apareceu em lugares e épocas diferentes, já teve muitos nomes e instilou-se no cerne de todas as grandes tradições de sabedoria.

No entanto, por ter uma origem tão antiga, acaba sendo difícil descobrir qual dessas tradições preservou e passou adiante a essência filosófica, simbólica e ritualística daquilo que hoje se entende como Maçonaria. Rizzardo da Camino, um dos maiores autores maçons do Brasil, sustenta que "sua presença marcante [a da filosofia maçônica] está em todos os livros sagrados". O autor diz que "quando surge a expressão 'mistérios' podemos ter a certeza de que estamos num caminho que nos conduz a algo próximo da Maçonaria". Assim, os princípios maçônicos estariam imbuídos nas cerimônias secretas de celebração dos Mistérios de Osíris e Ísis, no antigo Egito, e de Elêusis e Dioniso, na Grécia. Os símbolos que expressam a filosofia hindu também estão repletos do caráter maçônico. "Graças a esses símbolos, a filosofia maçônica pode ser conservada até hoje", diz da Camino.

Esses Mistérios consistiam de um grupo de crenças e práticas que existiu em muitos países sob diferentes formas. Conforme mencionado, no Egito, eram os Mistérios de Ísis e Osíris; na Grécia, os Mistérios de Orfeu, de Dioniso e os de Elêusis; em Roma, os Mistérios de Baco e Ceres. Muitas das grandes mentes daquela época, como o filósofo Pitágoras, foram iniciadas em alguma ou algumas dessas escolas de sabedoria.

Mas nada resta de puro desse conhecimento. As iniciações, feitas por meio da tradição oral, perderam-se ou foram corrompidas ao longo dos séculos. Fermentadas pelo segredo que envolvia as iniciações, histórias estranhas e boatos bizarros foram relacionados a elas. O testemunho de autores clássicos mostra, porém, uma face diferente dos Mistérios. O poeta trágico Sófocles escreveu que "três vezes felizes são os mortais que descem aos reinos de Hades depois de haverem contemplado os Mistérios". Platão também testemunhou sobre a santidade das iniciações. Em Fédon, onde o filósofo reflete sobre vida após a morte, Platão afirmou: "Admito que possuíam iluminação os homens que estabeleceram os Mistérios e que, em realidade, tiveram intenção velada ao dizerem, há longo tempo, que quem quer que vá para o outro mundo sem estar iniciado e santificado jazerá no lodo, mas quem chegar ali iniciado e purificado, morará com os deuses".

É tido como certo que os ritos e símbolos maçônicos modernos têm origem nos Mistérios Egípcios. A Religião Egípcia é identificada com o culto da morte. A ciência secreta e os mistérios de Ísis e Osíris simbolizam as forças espirituais que prendiam-se ao fenômeno da morte. Osíris foi um dos deuses mais importantes dentro do panteão da civilização egípcia. Seu mito respondia a questões e anseios pertinentes a todos os egípcios, sendo, por isso mesmo, adorado em todo o país. Tinha características e funções como deus relacionado aos ciclos da natureza, como a Lua, o Nilo e o grão, como mantenedor da ordem e da sucessão real e fundamentalmente como aquele que transcendeu a morte e foi reinar no "Ultratumba"

– o reino dos mortos –, tornando-se rei e juiz desse mundo. O mito de Osíris estava relacionado com todos os aspectos da vida egípcia, da paz à guerra, da seca à enchente, da peste à abundância, da posição divina do faraó à dureza da servidão e, fundamentalmente, da vida à morte, conseguindo, assim, abarcar em sua personalidade divina todos os atributos necessários para solucionar e satisfazer as necessidades de todos os estratos sociais.

Os Mistérios Gregos

A religião dos mistérios representa uma das dimensões mais importantes da religiosidade grega. Tratava-se de ritos de iniciação secretos.

Estreitamente ligados às ideias de vida após a morte, de modo geral, pretendiam assegurar uma existência feliz após a passagem terrena.

Havia três principais mistérios na Grécia: os eleusinos, os dionísicos e os órficos. Os mistérios eleusinos eram praticados em honra a Demeter, inicialmente na cidade de Elêusis. Seus ritos fazem referência aos esforços que Demeter empreendeu à procura de sua filha, Perséfone, que havia sido raptada por Hades. O mistério celebrava a morte como garantia da vida, assim como a semente que "morre" – isto é, é enterrada e desce aos infernos – para gerar uma nova planta.

Os mistérios dionísicos celebravam os poderes de êxtase de Dioniso. De acordo com o mito órfico, o homem era um composto das cinzas de Dioniso e dos Titãs. A alma, o "fator Dioniso", era divina, mas o corpo, o "fator Titã", a prendia. Os mistérios celebravam a imortalidade da alma, ritualizando a morte e a ressurreição de Dioniso. Esses ritos incluíam a ingestão de carne crua e o "casamento sagrado".

O Hieros Gamos, ou "casamento sagrado", em grego, era realizado para garantir a fertilidade da terra. Uma vez por ano, era executado esse ritual, no qual os deuses e deusas da fertilidade – na verdade, sacerdotes e sacerdotisas vestidos como divindades – mantinham relações sexuais. O festival começava com uma procissão em celebração do casamento sagrado, seguida por uma troca de presentes. Então, havia um rito de purificação e a festa de casamento, propriamente dita. Depois, a câmara nupcial era preparada, onde, à noite, o sacrocasal encontrava-se para executar a união do deus e da deusa pelo ato sexual. Às vezes, o deus ou deusa "casava-se" com um(a) mortal; outras, era o rei que desposava uma mulher que simbolizava a terra e que dependia da sua força masculina para frutificar.

"Os ritos de casamento sagrado eram uma parte central no antigo paganismo", escreveu a pesquisadora Miriam Harline no seu artigo *Sacred Marriage as Initiation in the Mistery Religions of Greece and Rome* (Casamento Sagrado Como Iniciação nas Religiões de Mistério da Grécia e Roma). Segundo Harline, além de um rito para garantir a fertilidade da terra, "o casamento sagrado também podia ser usado como um instrumento de iniciação".

Um desses festivais em que a iniciação aos mistérios acontecia por meio do Hieros Gamos era o Anthesteria, um festival em honra a Dioniso, a versão grega do deus romano Baco – deus da vinha, do vinho e do êxtase místico.

Como o primeiro homem a fazer vinho ofereceu sua esposa a Dioniso, durante o Anthesteria, que durava três dias, também a rainha de Atenas era oferecida como esposa ao deus. A união entre eles acontecia depois do pôr do sol do segundo dia, no Boukolion, ou "estábulo do touro" – uma pequena casa na Ágora, mercado e parte central da cidade. Porém, ninguém sabe ao certo o que acontecia durante o casamento sagrado. Alguns estudiosos teorizam que o rei aparecia para a rainha mascarado como o deus; outros imaginam a rainha mantendo relações com uma arcaica estátua cerimonial. Todos concordam, porém, que alguma forma de união física acontecia de fato. E enquanto a rainha se empenhava nesse ato, as mulheres de Atenas uniam-se a ela em espírito – e corpo.

Aparentemente a rainha não estava só. Durante o ritual, "antes da consumação, a rainha auxiliava as 14 veneráveis, ou gerairai, representantes das mulheres da cidade, a invocar os 14 altares", escreve Miriam Harline. Entrementes, os homens também invocavam Dioniso, participando de concursos de bebedeira de vinho. Segundo indicam pinturas em vasos da época, enquanto a rainha e as gerairai ocupavam-se do casamenro sagrado e seus maridos bebiam vinho pela cidade, as mulheres de Atenas entregavam-se ao sexo ritual – com estranhos ou com seus próprios maridos.

Havia ainda, da Grécia, uma terceira tradição de mistérios, os órficos, que teriam sido fundados por Orfeu e que eram mais complexos. Joseph Campbell afirma que Orfeu remonta os períodos mais arcaicos da cultura grega. Os mistérios órficos envolviam toda uma literatura e uma visão doutrinária, além dos rituais. Os praticantes deviam seguir um padrão ético elevado, o que aproximava o orfismo do cristianismo. Os órficos acreditavam na metempsicose[1], isto é, na reencarnação da alma após a morte, e nas punições e recompensas que a alma recebia após a morte, conforme seus méritos em vida. Os ensinamentos órficos acabaram desdobrando-se nos ensinamentos de filósofos como Pitágoras – que combinava uma religião mística baseada na crença da metempsicose com uma sofisticada competência matemática – e Platão – que propôs que as essências, isto é, as ideias, representadas precariamente no mundo sensível, são, de fato, a realidade efetiva.

A Maçonaria e a Tradição Hermética

Apenas alguns fragmentos do conhecimento oculto cultivado e transmitido na Antiguidade atravessaram os séculos e acabaram chegando até nós.

Entre esses poucos fragmentos estão os Preceitos Herméticos, reunidos num pequeno livro chamado *O Caibalion* (Editora Pensamento-Cultriz, São Paulo, 1995), uma leitura básica para qualquer maçom.

---

1. Platão propôs a existência de uma dimensão suprassensível, onde existem ideias perfeitas e eternas, as quais dão origem ao mundo sensível, que espelha tais ideias em fenômenos condicionados à constante transformação. Desse modo, Platão conciliou as duas principais correntes filosóficas pré-socráticas, representadas por Heráclito e Parmênides.

Os ensinamentos de *O Caibalion* são atribuídos a Hermes Trimegisto, o "Três Vezes Grande". Segundo o escritor americano Richard Smoley, citando no seu artigo *Hermes e a Alquimia* da obra *Esoterismo e Magia*, organizada por Jay Kinney, o mago renascentista Marsílio Ficino, Hermes era chamado de "Trimegisto, ou Três Vezes Grande, porque foi o maior dos filósofos, o maior dos sacerdotes e o maior dos reis". Onde e quando Hermes viveu, se foi lenda ou homem, nós provavelmente nunca saberemos. Ele aparece em várias tradições antigas. Entre os gregos, é o inventivo e matreiro deus Hermes, e entre os egípcios, é o deus Thot. É também o Idris islâmico e o Enoc bíblico.

Considerado em seu tempo o mensageiro dos deuses, Thot, a versão egípcia do grego Hermes, teria dado ao povo egípcio os preceitos da civilização, com suas ciências e sua cultura. Hermes também teria implantado a oculta tradição sagrada, seus rituais e os próprios Mistérios de Ísis e Osíris. Os gregos afirmam que Hermes legou 42 livros sagrados, entre os quais o Livro dos Mortos do antigo Egito. Ele também fundou escolas de sabedoria anexas aos santuários maiores, onde os sacerdotes ensinavam medicina, astronomia, astrologia, botânica, agricultura, geologia, ciências naturais, matemática, música, arquitetura, escultura, pintura e ciência política. Hermes seria, assim, um verdadeiro civilizador. Mas o que é o hermetismo e o que ele tem a ver com a Maçonaria, além da relação com os "Mistérios" da Antiguidade?

O deus grego Hermes tem como atributos a mobilidade e a mutabilidade, isto é, o ecletismo, a comunicação, a inspiração e a capacidade conciliadora. É o deus da transmutação e da mudança. Por conta disso, o hermetismo acabou derivando a alquimia, que buscava transmutar chumbo em ouro. No entanto, o sentido do hermetismo é mais profundo. Trata-se de transformar tudo o que é grosseiro em algo sutil. Assim, o sentido maior do hermetismo é transformar não metais, mas o homem, ou, conforme Peter French definiu essa tradição em seu livro *John Dee, The World of an*

Elizabethan Magus, "o homem deve conhecer a si mesmo e recuperar a sua essência divina, unindo-se com a mente divina". E é isso que a Maçonaria busca. Segundo o escritor maçom Rizzardo da Camino, a fraternidade "busca a valorização natural do homem, para que ele possa, descobrindo suas potencialidades, realizar-se e ser feliz". E para "se descobrir", é preciso conhecer a si mesmo, ou, como coloca da Camino, "o homem, o eterno desconhecido, para ser feliz, precisa conhecer-se a si mesmo". A partir desse autoconhecimento, o indivíduo refina-se, torna-se mais "sutil", capaz de unir-se com a mente divina.

A Ciência Hermética

Os principais fundamentos da chamada Ciência Hermética foram registrados no livro *O Caibalion*.

O texto apresentado pelos "Três Iniciados" expõe de maneira clara e sintética conhecimentos que de outra forma fariam jus ao adjetivo "hermético". Embora discorra sobre os sete princípios da filosofia hermética, não se pode analisá-los isoladamente. Os sete fundamentos combinam-se e complementam-se, formando uma unidade indissolúvel.

O primeiro princípio hermético descrito em *O Caibalion* é o do Mentalismo: "Tudo é mente". De acordo com esse princípio, todo o mundo fenomenal é simplesmente uma criação mental do Todo.

O segundo é o Princípio da Correspondência, resumido na famosa máxima alquímica "o que está em cima é como o que está em baixo, e o que está em baixo é como o que está em cima". A interpretação dada pela Igreja de Roma ao Princípio da Correspondência era a de um culto satânico: "O que está embaixo", isto é, o Diabo, "é como o que está em cima", ou seja, Deus. Na verdade, o que esse princípio expressa é que tudo emana da mesma fonte.

O Princípio da Vibração, o terceiro deles, assinala que "nada está parado, tudo se move, tudo vibra", atestando que aquilo que entendemos como matéria, energia, mente e espírito, nada mais é do que diferentes formas de vibração. A ciência já comprovou a verdade por trás desse princípio. Em seu livro *Hado – Mensagens Ocultas na Água* (Editora Cultrix, São Paulo, 2006), Masaru Emoto cita um artigo de Warren J. Hamerman publicado em 1989 na revista *21st Century Science and Technology*. Nesse texto, Hamerman explica que "a matéria orgânica da qual os seres humanos são formados gera uma frequência que pode ser representada pelo som de aproximadamente 42 oitavas acima do dó central do piano". O padrão do dó central é cerca de 262 Hz. Isso significa que essa nota vibra 262 vezes por segundo. Com base nessa afirmação, Emoto calculou que os seres humanos vibram 570 trilhões de vezes por segundo.

O quarto princípio hermético contido em *O Caibalion* é o da Polaridade: "Tudo é duplo, tudo tem dois polos, tudo tem seu oposto. O igual e o desigual são a mesma coisa, os opostos são idênticos em natureza, mas diferentes em graus. Os extremos tocam-se. Todas as verdades são meias verdades. Todos os paradoxos podem ser reconciliados". Qualquer semelhança com o símbolo Ouroboros não é, portanto, mera coincidência.

O Princípio do Ritmo é o quinto princípio Hermético: "Tudo tem fluxo e refluxo, tudo tem suas marés, tudo sobe e desce. Tudo manifesta-se por oscilações compensadas; a medida do movimento à direita é a medida do movimento à esquerda. O ritmo é a compensação".

O sexto princípio hermético é o da Causa e Efeito. A Grande Lei está presente em tudo: nada é por acaso. Finalmente, o sétimo princípio encerra a verdade do Gênero. Ele atesta que o gênero não é característica apenas do plano físico, mas manifesta-se também nos planos mental e espiritual. "Todas as coisas machos têm também o elemento feminino; todas as coisas fêmeas têm o elemento masculino", consta em *O Caibalion*. Somados e aprofundados, os princípios herméticos de *O Caibalion* permitiram ao estudante de ocultismo transmutar a mente: a razão da nossa evolução.

O Grande Arquiteto do Universo

Os maçons entendem Deus como o Grande Arquiteto do Universo, ou G.A.D.U., como costumam abreviar.

Em certos atos litúrgicos da Maçonaria, é feita alguma oração, mas o louvor próprio à divindade limita-se à glorificação. É por isso que muitos ritos maçônicos trabalham para a "Glória do Grande Arquiteto do Universo".

No entanto, há diferenças entre o Deus cristão e o Grande Arquiteto do Universo. Para os maçons, o Grande Arquiteto tem as características de um arquiteto comum. Na prática, o arquiteto cria um projeto e não o executa, pois ele precisa da colaboração de uma equipe: desenhistas, mestres, pedreiros e serventes. O arquiteto limita-se, de fato, apenas ao "projeto".

Como o Deus bíblico, os maçons entendem que Deus projetou a Terra e o Universo, ou melhor, os Universos, mas o G.A.D.U. maçônico tem a propriedade de ser "uno", ou seja, não possui a Trindade Cristã.

Esse conceito de Deus como o Grande Arquiteto do Universo implica na existência de "outros arquitetos". Para os maçons, cada iniciado tem em si parte do Grande Arquiteto e cada membro da fraternidade será um arquiteto, não independente, mas "submisso" ao G.A.D.U. Dessa forma, conforme explica Rizzardo da Camino, "o dever de todo maçom é o de ser uma espécie de renovador projetista".

AS SOCIEDADES SECRETAS

As sociedades secretas são quase tão velhas quanto a própria humanidade. Elas remontam aos antigos clãs e às sociedades totêmicas.

Ainda hoje, é comum, em tribos de cultura paleolítica, existir sociedades masculinas nas quais os membros partilham entre si conhecimentos exclusivos e iniciações. Uma célebre sociedade secreta da Antiguidade foi a dos pitagóricos. Era uma irmandade formada pelos seguidores do filósofo grego Pitágoras – uma das mentes mais brilhantes que a humanidade já produziu. Pitágoras teria sintetizado as tradições em que foi iniciado nas suas viagens ao Egito, à Babilônia e pela Grécia. Mas, como acontece com muitas sociedades secretas, os pitagóricos acabaram sendo perseguidos e debandaram.

As sociedades secretas, como a Maçonaria, são geralmente identificadas como organizações generosas e positivas. Normalmente, a meta das sociedades secretas é ajudar no progresso da humanidade e acessar conhecimentos iniciáticos disponíveis apenas a uns poucos escolhidos. Para Michael Howard, um pesquisador das teorias da conspiração, "um aspecto importante das sociedades secretas é sua intenção de unificar as religiões do mundo". Esse ideal baseava-se na restauração da tradição da mística pré-cristã, que foi perseguida pela Igreja e marginalizada durante a Idade Média. Isso porque, segundo Howard, essas sociedades secretas "reconheciam que todas as religiões tinham se originado de uma espiritualidade universal, chamada de Filosofia Perene, a tradição primordial da antiga sabedoria".

Muitas dessas sociedades secretas deixaram sua marca na Maçonaria Moderna. Entre elas, os pitagóricos, os gnósticos e os templários.

Os Pitagóricos

A força de Pitágoras no pensamento ocidental é maior do que se pode imaginar.

O filósofo grego exerceu enorme influência na Renascença, quando foi contado entre os iluminados que inspiraram o cristianismo, e até hoje seu legado é estudado e seu passado, investigado.

Célebre pelo seu conhecimento, Pitágoras teve seu nome vinculado ao oráculo de Apolo em Delfos e ao próprio deus. O filósofo destacava-se de seus contemporâneos de tal forma que não era visto apenas como filho do deus Sol, mas como sua própria encarnação. Seu nome quer dizer "anunciador pítico", em referência às sacerdotisas de Delfos, as pítias ou pitonisas.

Pitágoras nasceu em Samos, em 571 ou 570 a.C. Quando jovem, viajou ao Egito, onde teria sido iniciado nos Mistérios de Ísis, pelos sacerdotes de Tebas. Sempre em busca de conhecimento, Pitágoras viajou por todo o mundo grego e foi também à Fenícia e à Síria, à Pérsia e à Índia, onde absorveu as tradições de sabedoria locais.

Muitos afirmam que Pitágoras frequentou a Grande Pirâmide de Quéops como iniciado. Acredita-se que foi a partir das proporções dessa pirâmide que ele desenvolveu o famoso teorema que leva seu nome.

Em 532 a.C., foi para a Itália, então Magna Grécia, e fundou, na colônia grega de Crotona, uma associação científico-ético-política. Pitágoras tencionava fazer que a educação ética da escola se ampliasse e se tornasse uma reforma política. O tiro acabou saindo pela culatra. Uma forte oposição ergueu-se contra o filósofo e seus seguidores, os pitagóricos. No final, Pitágoras foi obrigado a deixar Crotona, mudando-se para Metaponto, onde morreu provavelmente em 497 ou 496 a.C.

Segundo o pitagorismo, a essência, o princípio essencial do qual são compostas todas as coisas, é o número, isto é, as relações matemáticas. Os pitagóricos consideravam o número como o fator de união de um elemento a outro.

De fato, em sua doutrina, Pitágoras dava importância central à Matemática. Foi ele quem criou a palavra matemática, derivada do termo grego *mathema*, isto é, "aquilo que se aprende". Pitágoras dizia também que "Deus usa a Matemática para escrever o Universo". Por isso, a matemática, a geometria e a música são a base da expressão do pitagorismo, verdadeiros instrumentos de compreensão do Universo.

Pitágoras também teria cunhado a palavra "filósofo", ou "amigo do conhecimento", para descrever a si mesmo. Foi ele igualmente quem calculou os intervalos musicais, criando a escala musical usada até hoje.

A Ordem de Pitágoras

A Ordem de Pitágoras totalizava em torno de seiscentos discípulos, entre homens e mulheres, selecionados pelo próprio Pitágoras por meio de um exame rigoroso.

Depois de admitido, o neófito fazia um voto de silêncio de quase cinco anos. Era só após o período probatório que o aspirante era verdadeiramente iniciado.

A transmissão do conhecimento visava à iniciação e era feita de forma gradual. Primeiro, a pessoa era instruída como "ouvinte" por um discípulo de Pitágoras. Em seguida, o aprendiz tornava-se um "matemático" e, então, recebia os ensinamentos do próprio mestre, os quais jurava nunca divulgar. Um dos pontos centrais do ensinamento pitagórico era a crença na transmigração das almas – uma influência que o filósofo provavelmente trouxe do hinduísmo.

De acordo com Pitágoras, a alma imortal do homem precisa migrar de corpo em corpo até que ela consiga se libertar desse ciclo por meio do culto às virtudes. Para isso, os pitagóricos levavam uma vida ascética e regrada. Eram vegetarianos, cuidavam do corpo por meio de exercícios físicos e procuravam elevar o espírito discutindo filosofia, estudando matemática e compondo música.

Mesmo depois da perseguição aos pitagóricos e da dissolução da sua ordem, a filosofia de Pitágoras continuou a ser influente. Quase todos os filósofos da Antiguidade, inclusive Platão – que proibia qualquer um que não conhecesse geometria de entrar em sua academia –, beberam da fonte pitagórica. Até hoje, seus ensinamentos despertam fascínio. Atualmente, o filósofo é cultuado tanto pelos acadêmicos como pelos estudiosos das tradições esotéricas.

As Seitas Gnósticas

A palavra *gnose* remete aos primeiros anos do cristianismo, aos retiros dos ascetas, que isolavam-se nos desertos da Palestina e do Egito em busca de conhecer Deus, de conquistar a gnose, o maior e mais profundo conhecimento que a consciência humana pode atingir: a chegada ao Reino do Pai que habita o interior de cada um de nós, nossa centelha divina.

Sua busca remonta diversos movimentos espirituais em diferentes lugares e épocas, instilando-se indelevelmente na filosofia do cristianismo primitivo.

G.R.S. Mead (1863 – 1933), colaborador de Helena Blavatsky na Sociedade Teosófica, escreveu em seu livro *A Gnosis Viva do*

Cristianismo Primitivo (editora Núcleo Luz, Brasília, 1995) que "a verdadeira gnose é o foco central do genuíno cristianismo". Segundo Mead, o objetivo dos cristãos primitivos era obter a gnose, ou o conhecimento místico. É "a apoteose da mente, uma fusão com a mente divina, quando a mente humana transfigura-se e alcança a comunhão com o Divino que está em nós", explica Mead.

Em torno dessa ideia, diversas comunidades formaram-se para seguir práticas iniciáticas. A busca pela gnose impelia, por meio de ritos e observações, o indivíduo para si mesmo, "para sua habilidade interior de encontrar sua própria direção, à luz que tem 'dentro de si'", como explica Elaine Pagels, catedrática do Departamento de Religião do Barnard College da Universidade de Columbia.

Apesar de sua associação com o cristianismo primitivo, as origens do gnosticismo são controversas. Alguns autores dizem que ele é um movimento pré-cristão, derivado da antiga religião iraniana e influenciado pelo zoroastrismo; outros, porém, sustentam que o gnosticismo teve sua origem no judaísmo, preconizado pelos hereges judeus dos séculos I e II d.C, como os Terapeutas, liderados por Fílon de Alexandria. Havia, ao que parece, diversos grupos desses hereges, como os rabinos daquela época os chamaram. Muitos deles eram membros de uma nova seita judaica, o cristianismo.

Contudo, mesmo que não se possa identificar com precisão as origens do gnosticismo, é impossível negar sua força nos primeiros trezentos anos da Igreja cristã. O gnosticismo está no centro das cismas que dividiram os seguidores de Cristo. Na medida em que a Igreja ia se tornando uma unidade política, seus líderes passaram a tratar seus opositores – uma variada gama de grupos – como se eles também constituíssem uma unidade política, só que antagônica.

O SIMBOLISMO MAÇÔNICO

No século II, o bispo Irineu de Lyon chamou de gnósticos todos os hereges que não aceitavam a autoridade do clero, o credo e o cânone do Novo Testamento – os quatro evangelhos e o conjunto de epístolas autorizados pela Igreja como aceitos. Entretanto, o cerne do gnosticismo não se limitava a questões como a organização da autoridade e a participação das mulheres. Na verdade, o que esses grupos gnósticos professavam e que os colocava contra os ortodoxos era uma perspectiva religiosa fundamentalmente diferente daquela que a igreja institucional tinha adotado. E a diferença era, grosso modo, a maneira de interpretar a afirmação de João: "Eu sou o caminho, a verdade e a vida; ninguém vem ao Pai senão por mim"(João 14:6). O caminho do gnóstico para chegar ao Pai é pessoal, ou seja, não precisa de uma igreja para intermediá-lo.

A discórdia em relação à interpretação e à prática do cristianismo dividiu seus seguidores. Com o surgimento do cristianismo ortodoxo, que seguia as tradições apostólicas de Pedro e de Paulo, a maioria das comunidades Cristãs em Alexandria, Antioquia, Edessa e Éfeso foi eclipsada. As tradições apostólicas de Tomé, Felipe e Tiago foram rejeitadas como "gnósticas", pois preconizavam a salvação pela autognose, ou conhecimento místico. Assim, a igreja ortodoxa baseou sua sucessão apostólica em Pedro, e o gnosticismo foi proibido.

A perseguição aos gnósticos intensificou-se em todos os lugares. No Egito do século IV, por ordem do bispo Atanásio de Alexandria, foram destruídos inúmeros documentos considerados heréticos. O bispo seguia uma resolução do Concílio de Niceia, que estabelecia a destruição dos textos gnósticos. Contudo, alguns monges egípcios buscaram preservar seus códices e os esconderam em urnas de argila, que enterraram perto da atual cidade de Nag Hammadi, no Egito. Em 1945, a coleção de textos de diferentes correntes do cristianismo gnóstico foi descoberta casualmente.

Os Templários

Poucas ordens religiosas foram tão envolvidas em mistérios como a Ordem dos Cavaleiros do Templo de Salomão, ou dos templários, como ficou mais conhecida.

Ao longo de décadas, seus membros acumularam riquezas e conhecimentos e tornaram-se mais poderosos do que reis. Ao mesmo tempo, poucas instituições decaíram tanto quanto a dos templários. Traídos pelo papa, dispersados e expulsos dos seus territórios no século XIV, o tesouro de conhecimento dos Cavaleiros do Templo de Salomão espalhou-se por toda a Europa, dando origem ao grande ciclo de descobrimentos e ao surgimento de diversas sociedades secretas.

Quando os cruzados tomaram Jerusalém, durante a Primeira Cruzada (1096 – 1099), a Ordem dos Cavaleiros do Templo de Salomão foi fundada por Hugo de Payens – um nobre da corte de Champanhe, na França – para guardar os lugares santos e proteger os peregrinos cristãos. Seu papel era o de defender a fé e de viver uma vida monástica. Durante os dois séculos que permaneceram na Síria, no Líbano e na Palestina, esses monges guerreiros acumularam uma riqueza maior que a de muitos reinos e familiarizaram-se com tradições místicas e inovações arquitetônicas e navais desconhecidas na Europa de então.

A vertiginosa expansão do poder dos templários contou com o apoio do mais hábil sacerdote político do seu tempo, São Bernardo de Clairvaux. Tanto o Santo quanto o Grão-Mestre templário empenharam-se em recrutar apoio para sua aliança. Mais importante para a Ordem, o eloquente São Bernardo assegurou junto a Roma o reconhecimento dos templários como defensores do Domo de Pedra e de todos os peregrinos cristãos. A ascensão e o reconhecimento dos templários na Europa ocidental, garantida no Conselho de Troyes, em 1129, foi incrivelmente rápida. Por meio da bula papal *Omne Datum Optimum*, a ordem militar se tornaria independente do controle local e responderia apenas ao próprio papa. Logo, choveram doações em dinheiro e terras em toda a Europa. A Ordem tornou-se extremamente rica e poderosa. Os cavaleiros transformaram-se num Estado dentro do Estado, o Grão-Mestre, um rei entre reis.

Em Jerusalém, os templários mantinham seu quartel numa antiga caverna abaixo do Templo do Monte, conhecida como Estábulos de Salomão. O vizinho Domo da Pedra era tido pelos peregrinos como o Templo de Salomão original e era mostrado no selo do grão-mestre da ordem militar. Logo, surgiu a lenda – ou fato – de que os protetores dos peregrinos escavaram tesouros e relíquias santas, como a Arca da Aliança.

O que os templários encontraram em suas escavações é tema de especulações. O fato, porém, é que os cavaleiros realmente absorveram as filosofias e ciências árabes contemporâneas e também técnicas de construção que derivavam do conhecimento clássico grego, o que sedimentou uma perspectiva diferente da entendida por Roma. Um elemento influente na crença dos templários era o conhecimento de Deus, a gnose, do cristianismo primitivo e o misticismo oriental. O escritor e historiador escocês Andrew Sinclair afirma em seu livro *A Espada e o Graal* que "o misticismo dos sufis, maniqueístas e gnósticos permeou os guardiões cristãos e foi assimilado pelos cavaleiros da Ordem Militar do Templo de Salomão, que acreditavam ser os mantenedores da Casa de Deus na terra".

Em contato com essas antigas tradições de sabedoria, os templários passaram adiante, aos trovadores e às guildas de ofícios da Europa, muito do conhecimento cabalístico e da sabedoria dos rabinos relacionados ao Rei Salomão. Esse simbolismo aparece nos romances arturianos da busca do Santo Graal.

Outro papel assumido pelos templários era o de mestres pedreiros. Há evidências de que eles introduziram a geometria sagrada do Oriente Médio na construção de obras-primas na França, como a Catedral de Chartres. Para tanto, os cavaleiros do templo encarregaram-se da regulamentação das equipes de pedreiros que construíram milhares de comendas templárias e igrejas pela Europa e pelo Levante, disseminando a crença no Templo de Salomão como o centro místico do mundo. "Não há dúvidas de que seu ritual secreto envolvia uma fé numa arquitetura sagrada, um único Criador do mundo", sustenta o pesquisador escocês Andrew Sinclair.

Na Palestina, os templários tornaram-se mercadores, banqueiros, navegadores e administradores das suas muitas propriedades. Além de poderoso exército, acabaram funcionando como uma grande empresa, à frente dos maiores empreendimentos da sua época. Foram os maiores banqueiros do seu tempo e precursores do atual sistema bancário.

No entanto, o reino cruzado na Terra Santa não durou. Jerusalém caiu nas mãos dos muçulmanos em 1187. Os templários empenharam-se com afinco na reconquista, fazendo campanhas na Europa para lançar novas cruzadas e apoiando as quatro cruzadas sucessivas à Terra Santa que se seguiram. Entretanto, eles não tiveram êxito. Em 1291, o último reino cruzado caiu, e os templários abandonaram seu derradeiro baluarte na Terra Santa, o castelo em Acre, e retornaram à Europa, levando consigo os lendários tesouros que haviam acumulado na Palestina.

A queda do reino cruzado na Palestina, em 1291, pôs um fim ao propósito da Ordem Templária, fundada para fornecer guardiões para o Templo de Salomão e proteção para os peregrinos aos lugares santos cristãos, agora nas mãos dos muçulmanos. Dezesseis anos depois de saírem do Oriente Médio, a Ordem Militar seria dissolvida, seus líderes executados e suas propriedades, confiscadas. A arrogância dos templários, sustentada pelo incrível poder que eles detinham, logo despertou o temor e a inveja dos poderosos. Sem que soubessem, sua queda começava a ser tramada.

"A destruição dos templários por Filipe, o Belo, rei da França, em 1307, com o consentimento do papado, foi devido à riqueza, cobiça, arrogância e o sigilo que mantinham sobre suas ações", explica Andrew Sinclair. Por volta do século XIII, os templários rivalizavam com os genoveses, lombardos e judeus a posição de principais banqueiros da época. Possuíam cerca de nove mil solares por toda a Europa, todos eles livres de impostos, e garantiam segurança para o estoque e transporte de lingotes de ouro e prata. O tesouro do rei da França era normalmente guardado nos cofres do Templo de Paris. As únicas ordens de pagamento em dinheiro prontamente honradas eram emitidas pelos templários. Eles haviam se tornado os maiores banqueiros do Oriente Médio e da Europa.

Apesar de a usura ser proibida pela Igreja durante a Idade Média, os templários ganhavam sobre o dinheiro que guardavam ou transportavam, devolvendo uma soma combinada menor que o valor original, enquanto o devedor pagava mais do que o valor do seu débito. O Templo de Paris tornou-se o centro financeiro mundial.

Os reis europeus sempre tinham poucos fundos. Voltavam-se regularmente aos seus banqueiros italianos e judeus. Normalmente, os nobres não pagavam suas dívidas e expulsavam seus credores. No entanto, os templários não toleravam esse tratamento. Donos de poderoso exército, sabiam cobrar seus devedores. Sua força e riqueza os cobriam de orgulho, que logo se voltou contra eles mesmos. Seus inimigos os acusavam de terem perdido a Terra Santa e reclamavam que sua arrogância era quase como a de reis.

O orgulho, ou soberba, era considerado o pior dos pecados na Idade Média. A isso, os detratores dos templários adicionaram rituais secretos e acusações de terem mantido estreita ligação com os muçulmanos. Em silêncio, o rei da França e o papa tramaram a queda dos templários.

Quando o rei Filipe, o Belo, aprisionou mais de seiscentos dos três mil templários do país, na sexta-feira 13 de outubro de 1307, seus interrogatórios e torturas produziram confissões que corroboraram as superstições sobre a Ordem que permanecem até hoje. Foram, porém, o resultado do uso de força e dor. Os promotores dos templários iriam acusá-los de forçar seus iniciados a cuspir na cruz e a tornarem-se homossexuais. Isso, porém, não correspondia à realidade, mas à intriga de seus detratores.

O último Grão-Mestre templário, Jacques de Molay, foi vítima do seu excesso de confiança. Sob tortura, de Molay e seus comandados confessaram heresias e abominações. Trinta e seis dos templários de Paris morreram torturados poucos dias depois da sua prisão, e os que sobreviveram, para escapar das torturas, confessaram uma miscelânea de fantasias diabólicas que os inquisidores criaram. Assim, os templários foram feitos de bodes expiatórios pela perda da Terra Santa, acusados de dar aos muçulmanos aquilo que, na verdade, tinham lutado para conservar.

Jacques de Molay, que entregou tão pacificamente a si e a sua Ordem aos carrascos a ponto de intrigar até hoje os historiadores, acabou por retratar suas confissões e negar tudo o que ele falara sobre os templários. Em 1314, quando ele foi conduzido para o cadafalso em frente à catedral de Notre Dame para receber sua sentença, declarou: "Confesso ser realmente culpado da maior das infâmias. Mas a infâmia é que menti. Menti admitindo as horríveis acusações postas contra minha Ordem. Eu declaro, e devo declarar, que a Ordem é inocente. Sua pureza e santidade nunca foram difamadas. Na verdade, eu testemunhei de forma contrária, mas eu assim o fiz por medo de torturas terríveis". Foi queimado vivo no dia seguinte.

Apesar da execução de Molay – e de muitos outros – a grande maioria dos templários conseguiu escapar à prisão, após a dissolução da Ordem. Na França, que, com a Inglaterra, foi o país onde as perseguições foram mais implacáveis, apenas 630 dos cerca de três mil templários locais foram presos. Muitas vezes o motivo para isso era a força. Tim Wallace-Murphy, citado por Andrew Sinclair, menciona um julgamento de templários na Bavária onde os réus compareceram fortemente armados. No final do julgamento, foram absolvidos – claro, se os juízes declarassem o contrário, teriam sido mortos ali mesmo.

Grande parte desses templários sobreviventes uniu-se a outras ordens militares, infiltrou-se nas guildas de ofício europeias – particularmente as de construção –, ou simplesmente dispersou. Outra parte, porém, permaneceu unida e levou a cruz templária – e todo o conhecimento que isso implica – a outros países. Ao cruzar os Alpes franceses em direção ao oeste da Europa, muitos se estabeleceram na região onde hoje é a Suíça. Naquela época, o lugar era isolado, de difícil acesso e habitado por pequenas comunidades de pastores. Os templários, que conheciam bem essa rota, teriam ido para a Suíça porque a região era quase intransitável, ideal para despistar possíveis perseguidores. Essa hipótese não é, porém, comprovada. Mas, curiosamente, na mesma época da queda dos templários, os camponeses daquela área rebelaram-se contra os senhores franceses, buscando controle das rotas comerciais. Os camponeses não tinham nenhum treinamento militar. Mesmo assim, venceram a disputa. Lendas da época falam de cavaleiros vestidos de branco apoiando os rebeldes. Teriam sido os templários?

Outro argumento que pesa em favor da presença templária na Suíça é o seu sistema bancário – que teria sido uma herança dos cavaleiros. Alguns estudiosos sustentam que o sigilo que caracterizava a Ordem e que hoje é marca registrada dos bancos suíços pode ser uma evidência.

Andrew Sinclair, por sua vez, sustenta que os templários que conseguiram escapar da perseguição refugiaram-se na Escócia e em Portugal. Na Escócia, teriam sido patronos dos construtores e fundado as primeiras Lojas maçônicas daquele país.

ALGUNS SÍMBOLOS E RITUAIS MAÇÔNICOS

Como em toda grande tradição de sabedoria, a Maçonaria lança mão de símbolos para expressar seus conhecimentos iniciáticos.

Os símbolos têm um efeito muito poderoso na psique humana, impressionando, quase sempre, mais profundamente do que palavras. O significado encerrado em um termo qualquer nunca traduz, de fato, a essência que busca comunicar. Os símbolos, por sua vez, são mais abrangentes do que as palavras.

Um símbolo não deve, porém, ser confundido com um "sinal". A diferença entre símbolo e sinal é curiosa e tem a ver não com a representação em si, mas com o receptor da informação. Por exemplo, para o budista ou o muçulmano que passa em frente a uma igreja, a cruz no alto do seu campanário é apenas um sinal, indicando que ali é um lugar onde há encontro entre pessoas da fé cristã. No entanto, se quem passar em frente à igreja for um cristão, a cruz será um símbolo que expressa o inefável mistério do sacrifício de Cristo.

Os símbolos inspiram e ensinam. São a matéria-prima da arte; uma "gramática" atemporal que pode nos lembrar aquilo que sempre existiu, mas que já foi esquecido. É por isso que a

Maçonaria, que busca levar a consciência humana à iluminação, não pode ser compreendida por meio de mero exercício intelectual. "O que interessa à filosofia maçônica não é apenas o homem em si, mas o homem símbolo", afirmou o escritor maçônico Rizzardo da Camino em seu livro *Introdução à Maçonaria*.

A Maçonaria, como ciência humana que busca a iluminação de seus adeptos, lança mão de símbolos e executa ritos com o fim de despertar a camada mais sensível da consciência do maçom. Na Maçonaria, há basicamente dois grupos distintos de símbolos. O primeiro é constituído por símbolos "simples", que expressam – ou parecem expressar – uma única ideia independente. Algumas vezes são chamados de "alfabeto da Maçonaria", um alfabeto formado por um conjunto de caracteres, como o japonês ou o chinês, onde cada um desses símbolos denota uma ideia. São símbolos maçônicos o Prumo, que representa retidão, o Nível, que remete à igualdade humana, e a Trolha, que evoca a concórdia.

O segundo grupo de símbolos maçônicos vai além dos símbolos tangíveis do "alfabeto maçônico". Eles têm natureza mais oculta e são desenvolvidos por meio de cerimônias, formando, assim, o simbolismo ritualístico da Maçonaria. "Cada um dos graus da antiga arte da Maçonaria", escreve Albert Mackey, "contém alguns desses símbolos ritualísticos: as lições de toda ordem são, na verdade, veladas em suas vestes alegóricas". Entre esses símbolos ritualísticos, os mais importantes são os rituais do descalçamento, da investidura e da circum-ambulação, e o rito de aceitação.

O Rito do Descalçamento

No rito do descalçamento, o participante tem seus pés despidos ante o chão sagrado.

Seu nome deriva do termo latino *discalceare*, isto é, retirar o sapato de uma pessoa. Trata-se de um símbolo recorrente desde a Antiguidade. No Livro do Êxodo, o Anjo do Senhor diz a Moisés: "Aproxima-se, tira seus sapatos dos pés, pois o lugar onde pisa é chão sagrado". Esse costume tornou-se regra entre os judeus. O estudioso da lei judaica Maimônides registrou que entre os israelitas não era "lícito a um homem vir à montanha da casa de Deus com os sapatos nos pés, com seu cajado, em suas vestimentas de trabalho ou mesmo com poeira nos pés". A prática de descalçar-se antes de entrar em um templo ou recinto sagrado é igualmente comum em todo o Oriente. O mesmo acontece nas mesquitas, onde há, em algumas delas, tanques com água para os fiéis lavarem seus pés para tê-los limpos ao pisar naquele chão sagrado. Pitágoras, cujos ensinamentos estão entre as pedras fundamentais da Maçonaria, recomendava: "Ofereça sacrifícios e adoração descalço".

O ato de tirar os sapatos é sinal de humildade e reverência. Tanto que os primeiros sacerdotes cristãos conduziam os sacramentos com os pés descalços. De fato, não era permitido entrar nas igrejas a não ser com os pés nus. A ideia deriva do fato de os sapatos serem usados no dia a dia, protegendo os pés da sujeira. O local sagrado é inerentemente puro, imaculado. Assim, entrar de sapatos em um local santo implica em contaminá-lo com a poluição exterior.

Assim, o rito do descalçamento é um símbolo de reverência. Evoca no maçom a consciência de que ele deve entrar naquele local de forma humilde e imbuído de reverência para a consagração de um propósito divino. Conforme notou Albert Mackey sobre esse rito em sua obra *O Simbolismo da Maçonaria*, "a lição solene que ele ensina, a cena sagrada que representa e as cerimônias comoventes que nele são conduzidas são todas calculadas para inspirar a mente com sentimentos de respeito e reverência". Dessa forma, ao entrar na Loja, o aspirante deve purificar seu coração de toda contaminação e lembrar-se do que Moisés ouviu do Anjo: "Retire os sapatos dos pés, pois o local em que está é solo sagrado".

O Rito da Investidura

A cerimônia maçônica de investidura remonta aos antigos ritos religiosos que formaram, no passado remoto, os fundamentos da Ordem.

Além de evocar a pureza, também indica o caráter sagrado que os fundadores da Maçonaria desejam conferir à Ordem.

O rito da investidura, também conhecido como cerimônia de vestir, incorpora um dos símbolos maçônicos mais conhecidos, o avental de pele de carneiro. O avental foi adotado na Maçonaria por fazer parte do vestuário dos pedreiros medievais, os chamados maçons operativos. Esse rito constitui-se na colocação de algum traje no aspirante como indicação de que está adequadamente preparado para as cerimônias das quais virá a participar. É um rito tradicional, presente em todas as antigas iniciações.

Entre os levitas da antiga Israel, os sacerdotes usavam um avental de linho, o abanete, como parte da investidura da fraternidade. Era, segundo o livro de regra dos levíticos, usado para "a glória e a beleza", símbolo da santidade e pureza que caracterizam a natureza divina. Entre os essênios, a seita judaica da qual Jesus teria pertencido e que assemelha-se à Maçonaria em sua organização, dava-se aos noviços da Ordem uma túnica branca.

Na Maçonaria, o significado simbólico transmitido pelo avental é o da pureza. É um símbolo tão importante que é chamado de "distintivo do maçom", pois é o primeiro presente que o aspirante recebe e o primeiro símbolo sobre o qual é instruído. A pureza expressa por esse símbolo é evocada por dois elementos do avental: a cor e o material. O avental deve ser de uma brancura imaculada. O branco é tradicionalmente a cor da inocência, da pureza. Tanto o simbolismo judaico como o cristão, dos quais a Maçonaria incorpora múltiplos elementos, aludem ao branco para evocar pureza. Contudo, na Maçonaria, além de símbolo de pureza, o branco evoca também esperança depois da morte.

ALGUNS SÍMBOLOS E RITUAIS MAÇÔNICOS

No início do cristianismo, uma túnica branca era colocada pelo fiel recém-batizado como sinal de que seus pecados haviam sido expiados e que, a partir daquele momento, ele viveria uma vida de inocência e pureza. Ainda hoje, a "alva branca" é importante componente da indumentária da Igreja Católica. De acordo com um bispo, ela deve "estimular a piedade e nos ensinar a pureza do coração e do corpo que devemos possuir ao sermos apresentados aos mistérios sagrados".

Outras tradições antigas também usam o branco para evocar pureza. Entre os pitagóricos, os hinos sagrados eram cantados por discípulos vestidos de branco. Os druidas celtas que atingiam o grau da perfeição usavam a característica túnica branca, indicando que ninguém chegava àquele grau de conhecimento se não estivesse limpo de todas as impurezas, tanto de corpo como de mente.

Além de ser branco, o avental maçônico deve impreterivelmente ser feito de pele de carneiro. Não pode em hipótese nenhuma ser substituído por qualquer tecido, pois isso destruiria o simbolismo dessa vestimenta. O carneiro é símbolo tradicional da inocência, especialmente nas culturas judaico-cristãs. De fato, em toda a Bíblia, tanto no Velho como no Novo Testamento, há referências sobre o carneiro: do cordeiro pascal que os israelitas comeram na noite anterior à sua partida do cativeiro no Egito ao Cordeiro de Deus – Jesus – que tira os pecados do mundo.

Nos ritos maçônicos da Europa continental, como os praticados na França e na Alemanha, o candidato iniciado recebe, além do avental branco de carneiro, dois pares de luvas brancas também de pele de carneiro, um par masculino, para o próprio candidato, e outro feminino, para a esposa, noiva ou mulher que aquele maçom mais estima. Como o avental, as luvas evocam pureza e indicam que os atos de um maçom devem ser tão puros e imaculados como as luvas que ele está recebendo.

O Rito de Circum-Ambulação

Nas antigas iniciações, normalmente formava-se uma procissão ao redor do altar ou de outro objeto sagrado.

A esse rito chamou-se circum-ambulação. O termo remete à reprodução do movimento circular e também à demarcação de uma área sagrada em torno de um ponto central. A imagem circular está presente, por exemplo, no simbolismo de transformação da missa, bem como na mandala. De acordo com o psicólogo suíço Karl Jung, a circum-ambulação no sentido horário dirige-se à consciência, enquanto uma circum-ambulação no sentido anti-horário, ao inconsciente. Jung também relacionou os sonhos ao movimento circular. Para ele, como manifestações de processos inconscientes, os sonhos podem ser observados como se girassem ao redor de um ponto. O movimento circular da circum-ambulação remete, de fato, ao simbolismo do círculo.

O termo circum-ambulação era igualmente empregado na alquimia, significando uma concentração no centro ou lugar da mudança criativa. Os alquimistas viam o círculo como uma metáfora para a contenção necessária para resistir às tensões produzidas pelo encontro de opostos. De fato, o simbolismo do círculo remonta os primórdios da humanidade e está entre os símbolos mais universais. Aparece em representações de absolutamente todas as culturas do planeta. E em todas as épocas.

Os primeiros templos-observatórios construídos pelo homem, como Stonehenge, na Inglaterra, são circulares, e o uso do círculo nas "rodas de medicina" dos índios norte-americanos era parte do conhecimento dos xamãs.

Por retroceder para si mesmo, o círculo remete à completitude, à totalidade, à perfeição, à unidade, à eternidade, ao dinamismo. O círculo simboliza o Todo, o Uno, o espaço em que tudo acontece e não tem início nem fim, apenas o fluir da energia que constrói a vida, conferindo forma material aos sonhos e às ideias.

ALGUNS SÍMBOLOS E RITUAIS MAÇÔNICOS

O círculo também é um símbolo do absoluto e da perfeição. Por isso, para os filósofos neoplatônicos[1], esse símbolo incorporava Deus, o centro do Cosmos.

Por ser uma forma potencialmente sem começo nem fim, o círculo é o mais importante e universal entre todos os símbolos geométricos. Nossos ancestrais percebiam o movimento circular nos ciclos das estações e do céu e presumiam que o Universo fosse circular. Nesse sentido, o círculo é associado ao tempo e à infinitude, frequentemente sob a forma de uma serpente que morde a própria cauda, chamada de ouroboros.

Sua força também está associada a outros importantes símbolos, como a roda, o disco, o anel, o sol, a lua, o zodíaco. Aparece em rituais, danças, na arquitetura das stupas budistas, na forma das choupanas de algumas tribos indígenas o zen-budismo, os círculos concêntricos representam o grau mais elevado de iluminação e a harmonia de todas as forças espirituais. No budismo tibetano, é muito comum a prática de andar ao redor das stupas – templos-relicários evocativos aos Budas – cantando mantras. É um ritual de circum-ambulação individual. Já no cristianismo, o círculo remete às diferentes hierarquias espirituais ou diferentes etapas da criação.

A távola redonda do rei Artur emprega o círculo como um emblema de união e igualdade, um sentido preservado modernamente nos círculos unidos do atual ícone olímpico.

O rito de circum-ambulação encena o simbolismo do círculo. Andar em torno de um altar ao realizar sacrifícios e rituais era prática comum em todo o mundo antigo. Entre os gregos e romanos, a cerimônia era parte integral das cerimônias religiosas. Os sacerdotes giravam em torno do objeto sagrado salpicando-o com farinha e água benta. O mesmo dava-se na Índia e entre os druidas, que executavam uma "dança mística" ao redor de um círculo de pedras sagradas.

1. O Neoplatonismo foi fundado pelo filósofo Plotino no século III d.C. e buscava uma reinterpretação da obra de Platão.

A Maçonaria, herdeira das antigas tradições místicas e filosóficas, especialmente do corpo de iniciações conhecido como Mistérios da Antiguidade, pratica, como suas antecessoras, o rito de circum-ambulação. Aqui, a circum-ambulação é feita ao redor da Loja, que para os maçons simboliza o mundo.

O Rito de Aceitação

Há um momento fundamental na cerimônia da iniciação maçônica, quando o candidato está prestes a receber uma revelação dos mistérios, à qual ele deve submeter-se e prestar obediência.

Essa cerimônia é chamada de "rito de aceitação", pois é a partir daqui que o aspirante começa a receber aquilo que estava buscando.

O rito de aceitação é dividido em várias partes, uma vez que os segredos da Maçonaria não são transmitidos de uma única vez, mas por meio de um processo gradual. Tal processo começa com a comunicação da Luz, parte da preparação para o desenvolvimento dos mistérios que devem ser seguidos.

O simbolismo da luz é tão intrínseco à Maçonaria que um dos nomes pelos quais a Ordem era conhecida antigamente era justamente Lux, ou Luz. É a Luz que ilumina a escuridão da ignorância, que dissipa o mal que ela encerra. Quando o candidato a maçom faz um pedido pela Luz, anseia por uma iluminação intelectual que, conforme colocou Albert Mackey, "dissipará a ignorância mental e moral que trará à sua visão as verdades sublimes da Religião, Filosofia e Ciência – o grande propósito que a Maçonaria ensina".

Astrologia e Maçonaria

Como a Maçonaria tem o conteúdo comum das grandes tradições de sabedoria, aquilo que o filósofo alemão Leibniz chamou de Filosofia Perene, os mitos e símbolos das religiões e ordens iniciáticas, os quais são basicamente os mesmos, também foram adotadas pela fraternidade maçônica.

ALGUNS SÍMBOLOS E RITUAIS MAÇÔNICOS

Grande parte dessa linguagem surgiu há muito tempo, a partir do estudo do movimento dos astros no céu.

No começo do período Neolítico, cerca de 10 mil anos atrás, quando o homem descobriu a agricultura, nossos antepassados perceberam que a vida das plantas curiosamente obedecia a um ciclo que estava literalmente "escrito" no céu. Era o rumo das estrelas no firmamento que orientava o momento certo de preparar a terra, de semear e de colher. Os antigos perceberam, também, que o comportamento dos astros prognosticava os acontecimentos do ciclo anual; "dizia", por exemplo, se a colheita seria abundante, se haveria chuva, ou, até mesmo, se haveria cataclismos e pestes.

Logo, toda uma mitologia foi desenvolvida para relacionar os fenômenos celestes à vida dos homens. Novos deuses surgiram, substituindo as antigas divindades da era dos caçadores, o período Neolítico, quando a humanidade ainda não conhecia a agricultura. Observatórios circulares, como Stonehenge, na Inglaterra, foram construídos ao mesmo tempo em que a necessidade religiosa de nossos antepassados abria as portas da astronomia e da matemática.

Nossos ancestrais assistiam e participavam de um drama encenado nos céus: o Sol, o astro-rei, percorria seu caminho ao longo do ano, trazendo vida ou a negando à humanidade. Como os cereais que eram ceifados depois de as espigas amadurecerem, o Sol "morria" no solstício de inverno, ao afastar-se para longe no firmamento; e, como as sementes enterradas na escuridão da terra, o Sol – a fonte da vida – também ressurgia depois da sua morte invernal, trazendo com seu "renascimento" a promessa de uma nova primavera. É uma verdade universal e humana a história que está contida no ciclo das plantas, nas vidas dos homens, na dança das estrelas: nascer, viver, frutificar, morrer e renascer.

Esse mito foi encenado inúmeras vezes por nossos ancestrais, num ritual sacrifical. Um rei-sacerdote representando o Sol, acompanhado de 12 sacerdotes menores, representações dos meses solares (há autores que consideram ser o rei e seus 12 assistentes uma representação dos 13 meses lunares), era responsável pela fertilidade da terra. No solstício de inverno, porém, quando o Sol quase sumia do firmamento prenunciando o fim do mundo, o rei-sacerdote – que não incorporava nenhuma conotação política, mas, sim, religiosa – era sacrificado (no Egito pré-dinástico, por exemplo, ele era crucificado), e o novo rei-sacerdote (um dos 12 que o acompanhavam) tomava seu lugar, zelando pela fertilidade da terra durante os 12 meses seguintes, ao fim dos quais também seria sacrificado.

É claro que o culto solar evoluiu com o tempo, assumindo diferentes formas. A essência, porém, é a mesma, seja entre os maias ou entre os egípcios; entre os sumérios ou entre os celtas.

A semelhança que o cristianismo traz com os ritos solares não é, portanto, mera coincidência. Também a filosofia maçônica, por ser, conforme C. W. Leadbeater 33°, "o coração de todas as religiões", nasceu do mesmo ramo. O pesquisador de religiões comparadas Thomas Paine confirma que "a religião cristã e a Maçonaria têm a mesma origem comum: ambas derivam do culto ao Sol" – o que mais uma vez remete às observações astrológicas.

No entanto, os fundamentos da astrologia estão diluídos nas tradições de sabedoria que ela influenciou. Fazem parte de um mesmo corpo amalgamado em diferentes tecidos que formam um todo doutrinário. É muito difícil identificar a presença da astrologia no cristianismo, ou caracterizar os traços do culto aos astros no islamismo, embora estejam presentes. Na Maçonaria, ao contrário de muitas tradições de sabedoria, a presença da astrologia é patente. Um exemplo claro é as 12 colunas do templo, que correspondem aos signos do zodíaco. As colunas "são a base mental da Loja", explica o escritor Rizzardo da Camino. Além das colunas visíveis, cada Dignidade e Oficial da Loja, bem como cada Mestre, Companheiro e Aprendiz, representam uma coluna. Assim, a coluna representada pelo Venerável é o Sol, isto é, ciência e virtude; a do Primeiro Vigilante é Netuno, ou seja, purificação e estabilidade; a do Segundo Vigilante, Urano, ou eternidade e imortalidade; a do Primeiro Experto, Saturno, isto é, consciência e experiência; a do Orador, Mercúrio – força e firmeza; a do Secretário, Vênus, o planeta-símbolo da beleza; a do Tesoureiro, Marte, que representa honra e valor; finalmente, a do Mestre de Cerimônias, a Lua – pureza e temperança.

Juarez de Fausto Prestupa, autor de *Astrologia na Maçonaria* (Madras Editora, São Paulo), concorda. Ele relaciona um dos principais símbolos maçônicos, as três colunas mitológicas que representam a Sabedoria, a Força e a Beleza, com planetas que regem signos astrológicos: "a Sabedoria é Minerva, a Força é Marte, Ares ou também Hércules. A Beleza por sua vez é Vênus ou Afrodite. Em Astrologia, a sabedoria é regida por Júpiter; Marte e Vênus já fazem parte dos estudos astrológicos". Segundo Prestupa, o simbolismo astrológico é acessado logo que o neófito começa a participar da fraternidade. "Uma das primeiras lições que aquele que receberá a Luz recebe é justamente da simbologia e da importância da depuração pessoal ou 'limpeza' pelos quatro elementos: terra, água, ar e fogo. Estes são os elementos básicos que formam toda a Criação no estudo da Astrologia", escreve.

Em seu livro, Prestupa propõe uma interessante relação entre a astrologia e os Landmarks (orientações) maçônicos. "Explica-se o uso par de landmark por signo porque o primeiro landmark é o lado ativo do signo e o segundo landmark é o aspecto passivo do signo", pondera o autor. Sobre o fato de o número de landmarks ser ímpar (25), Prestupa explica "que o primeiro e o último landmarks são na verdade o mesmo (assim como o alfa e ômega) e desta forma, na verdade são 24".

Outro traço marcante da astrologia na Maçonaria é proposto por José Castellani, autor de *Astrologia e Maçonaria* (Madras Editora). Em seu livro, Castellani propõe uma interpretação astrológica para o ideal da Revolução Francesa. O escritor faz, porém, uma ressalva, afirmando que "as três palavras – Liberdade,

Igualdade e Fraternidade – não têm origem maçônica". No entanto, independentemente da origem histórica dessa divisa, o próprio Castellani admite que ela "praticamente tornou-se um lema da Maçonaria contemporânea".

Castellani informa que Libra é o ícone da Igualdade. "Este signo é o símbolo universal do equilíbrio, da legalidade e da justiça, concretizados pelo senso da diplomacia e da cortesia, que o caracterizam, assim como a aversão à agressividade e à violência de Áries, que está diante dele". Gêmeos seria a Fraternidade. "O signo de Gêmeos é dual, porque simboliza o momento em que a força criativa de Áries e Touro divide-se em duas correntes: uma tem sentido ascensional, espiritual, e a outra é descendente, no sentido da multiplicidade das formas e do mundo fenomênico. Considere-se, também, que, face a Gêmeos, está Sagitário, governado por Júpiter, Zeus, Deus, do qual todos os homens emanam, o que os faz irmãos uns dos outros, com cada um procurando-o, à sua maneira."

Finalmente Aquário evoca a Liberdade. "Só o iniciado, o sábio, poderá reconhecer os limites além dos quais não poderá ir, pois esta é a maneira dele chegar ao conhecimento dos mistérios divinos. Essa ligação com o divino, da qual Moisés é um símbolo, o respeito às leis divinas, fundamental para uma existência pacífica e harmoniosa, serão, também, assinalados pelo signo frontal a Aquário: Leão, cujo símbolo é o Sol; o Sol, símbolo do Um, símbolo de Deus."

Esses três signos, curiosamente, Libra, Gêmeos e Aquário, são os signos do ar do zodíaco. São, portanto, símbolos do espírito.

Os Santos da Maçonaria

Não são poucos os autores que apontam a relação entre o universo simbólico da Maçonaria e o do hinduísmo, budismo, zoroastrismo, judaísmo, cristianismo e islamismo.

Rizzardo da Camino escreve, por exemplo, que "a Maçonaria realmente teve raízes muito profundas em Zoroastro, como as teve em Buda". A essência filosófica dessas correntes é tão semelhante à Maçonaria que chegou-se a acreditar que Jesus Cristo tinha sido iniciado nos mistérios maçônicos e que, em consequência, o cristianismo não seria nada além de uma filosofia maçônica. Essa hipótese, claro, pertence ao reino das lendas, isto é, "uma mentira por fora, mas uma verdade por dentro", conforme a definição de Robert Walter, presidente da Joseph Campbell Foundation em Chicago, Illinois. Por mais semelhança que as duas doutrinas possam ter, nunca saberemos como Jesus foi iniciado, ou conheceremos as fontes e de quais tradições ele bebeu. No entanto, a influência do cristianismo foi tão forte que, quando a Maçonaria Especulativa surgiu na Inglaterra, no início do século XVIII, ela apresentava-se totalmente cristã. E, nesse contexto, herdada das antigas tradições das irmandades de construtores, as quais tinham santos padroeiros, a Franco-Maçonaria também os adotou.

Na fraternidade, porém, o sentido do padroeiro é diferente do popular. Aqui, ele não representa a proteção vinda dos céus, a quem se dirige nos momentos de dificuldade, esperando-se por algum milagre. Na Maçonaria, o padroeiro é um símbolo, um espelho ou metáfora, do seu mais profundo ideal. E a alma da Maçonaria é a dedicação que os irmãos oferecem um ao outro: "O amor fraterno é a luz que ilumina a Loja", ensina da Camino. Nada mais natural, então, que o padroeiro da Ordem seja o apóstolo que absorveu de Jesus toda a filosofia do amor, o "discípulo amado", São João Evangelista.

São João

João é um dos apóstolos de quem mais se tem informação. Marcos relata em seu evangelho que ele era irmão de Tiago, filho de Zebedeu. Antes de seguir Jesus, João tinha sido discípulo de João Batista. Logo depois que ele e Tiago entraram para o círculo íntimo dos discípulos de Jesus, o Mestre os apelidou de "filhos do trovão". Os dois, com Pedro e André, foram os discípulos privilegiados e presenciaram a ressurreição da filha de

Jairo, a transfiguração de Jesus na montanha e sua angústia no Getsêmani[2], quando o Mestre transpirou sangue.

Marcos deixou transparecer um pouco da personalidade de João ao descrever suas conversas com Jesus. Uma vez, ficou transtornado porque alguém mais estava pregando em nome de Jesus. "E nós lho proibimos", disse ele a Jesus, "porque não seguia conosco". Segundo Marcos, Jesus respondeu: "Não lho proibais... pois quem não é contra nós, é por nós" (Mateus 26:36 - 27:60).

Numa outra vez, ambiciosos, Tiago e João pediram a Jesus que lhes fosse permitido sentar, um à sua esquerda e outro, à sua direita, no Reino dos Céus. O Mestre respondeu com uma profecia: "Do cálice que eu beber, vós bebereis". Os irmãos concordaram prontamente com isso.

João confirmou ser, de fato, um "filho do trovão" ao mostrar sua coragem na hora da morte de Jesus. No seu próprio evangelho, ele conta que era "conhecido pelo sumo sacerdote". Isso o tornou facilmente vulnerável à prisão quando os guardas de Caifás prenderam Jesus. Mesmo assim, João foi o único apóstolo que se atreveu a permanecer ao pé da cruz. Nessa ocasião, Jesus pediu a ele que cuidasse da sua mãe. Segundo a tradição cristã, ele tomou conta de Maria enquanto evangelizava em Éfeso, onde ela morreu, no reinado de Trajano.

Durante seu ministério, de "filho do trovão", João tornou-se o "apóstolo do amor". Algumas fontes mencionam que ele esteve em Jerusalém no ano 37. Depois, João aparece no Concílio dos Apóstolos, que se realizou em Antioquia. Mais inclinado à contemplação que à ação, sua ênfase era a elevação espiritual. De acordo com Clemente de Alexandria, ordenou bispos em Éfeso e outras províncias da Ásia Menor.

---

2. Nome do lugar, próximo do Monte das Oliveiras, em Jerusalém. Nesse local, Jesus orou pouco antes de iniciar o processo de sua crucificação. De acordo com as Escrituras, Jesus chegou com os discípulos no Getsêmani e os orientou a se assentarem enquanto Ele iria orar.

De todos os doze apóstolos, João foi o mais destacado teólogo. Os primeiros fragmentos dos escritos Joanitas foram encontrados em papiros no Egito, datando do começo do segundo século. Vários autores confirmaram a tradição de que foi em Éfeso que João escreveu seu Evangelho e três Epístolas. O teólogo Jerônimo, do século IV, conta sobre um ancião chamado João que era carregado para as reuniões da Igreja de Éfeso. Sem forças para pregar, ele limitava-se a dizer: "Meus filhinhos, amai-vos uns aos outros". Irineu, bispo de Lyon no fim do século II, escreveu que João refutava os hereges e viveu até a época de Trajano, que reinou de 98 a 117. Isso faria de João o último sobrevivente dos apóstolos e, possivelmente, o único a morrer de causas naturais.

Outros historiadores afirmam, por sua vez, que João morreu jovem, cumprindo a profecia que Jesus teria feito a ele e a Tiago: "Do cálice que eu beber, vós bebereis". Na verdade, alguns historiadores afirmam que João foi perseguido por Herodes Agripa (41 – 44) e foi martirizado com seu irmão Tiago.

Há também tradições que afirmam que ele foi preso durante a perseguição de Domiciano (81 – 96), e exilado na Ilha de Patmos, no Mar Egeu. De qualquer forma, parece mesmo ter havido nessa colônia penal rochosa certo cristão conhecido como João. Como o exílio era pena comum a muitas ofensas, inclusive a de profetizar, muitos historiadores acreditam que esse João pode ter sido o discípulo de Jesus. Nessa ilha estéril, João teria composto o Apocalipse, ou Revelação, o derradeiro livro da Bíblia.

São João Batista

Além de São João Evangelista, a Maçonaria cultua mais dois santos: São João Batista e São João da Escócia. João Batista (por volta de 7 a.C. – 30 d.C.) é citado por inúmeros historiadores, entre os quais estão Flávio Josefo e os autores dos quatro Evangelhos da Bíblia. O Batista era filho do sacerdote Zacarias e de Isabel, prima de Maria, mãe de Jesus. João era tido por muitos como um homem consagrado, um profeta considerado pelos cristãos como o precursor do prometido Messias, isto é, Jesus. Foi ele quem batizou Jesus, iniciando, assim, seu ministério.

A infância de João Batista foi profundamente influenciada pela religiosidade dos pais: Zacarias era um sacerdote e a sua mãe pertencia a uma sociedade chamada "as filhas de Aarão", uma importante sociedade religiosa. Como não existia uma escola em Judá, é muito provável que seus pais o tenham levado a Ein Gedi, atual Qumram, para estudar. Sabe-se, por meio de um dos achados arqueológicos mais importantes do século XX, que em Qumram havia uma comunidade de essênios, o que vincularia João às doutrinas e práticas dessa seita.

Depois que seus pais morreram, João ofereceu todos os seus bens de família à irmandade essênia, retirou-se para o deserto e passou a pregar a vinda de um "Messias" que traria o "Reino do Céu". Por conta de vestir-se com peles de animais e do tom dos seus discursos públicos, João Batista foi muitas vezes chamado de "encarnação de Elias". Era um profeta de esperança, pois a tônica da sua pregação era anunciar a vinda do Messias. João também purificava tanto judeus como gentios por meio do batismo.

João era um pregador heroico. Ele falava ao povo expondo os líderes iníquos e as suas transgressões. Numa de suas pregações, João repreendeu o tetrarca Herodes por conta da sua ligação com a cunhada Herodíade. Essa acusação pública chegou aos ouvidos do tetrarca, e João foi preso; dez meses depois, foi decapitado. No entanto, de acordo com o historiador judeu Flávio Josefo, o verdadeiro motivo da prisão de João foi outro. Josefo, que escreveu no primeiro século da nossa era, afirma que "o povo reunia-se em grande número para ouvir João Batista", o que, conclui o historiador, levou Herodes – um rei ilegítimo – a temer que o profeta liderasse uma rebelião. Por isso, Herodes tratou de prendê-lo e, em seguida, de executá-lo.

São João da Escócia

No Brasil, São João da Escócia é considerado o padroeiro da Maçonaria. No entanto, pouco se sabe a respeito desse santo, tampouco há muita informação disponível. Uma busca na internet revela-se quase infrutífera, pois, apesar de a ferramenta de busca realmente trazer algumas referências sobre esse santo, o que se descobre a seu respeito é quase nada.

As camadas de lenda acumularam-se e amalgamaram-se de tal forma ao redor de São João da Escócia que se torna quase impossível conhecer a verdade. Ele seria, provavelmente, outro santo. Muitos tratados maçônicos afirmam que as Lojas não são, de fato, dedicadas a São João Batista ou a São João Evangelista, mas, sim, a São João Esmoleiro, que havia sido Grão-Mestre dos Cavaleiros de São João de Jerusalém, durante as Cruzadas. João teria sido filho do rei de Chipre e abandonou tudo para ir a Jerusalém proteger os peregrinos cristãos e socorrer os feridos que lutavam pelo cristianismo. João foi ferido em combate diversas vezes e acabou morrendo na Terra Santa. Por ter se dedicado com tanto afinco à causa da Igreja, ele foi canonizado com o nome de São João, o Esmoleiro, ou São João de Jerusalém. Os maçons que lutavam nas Cruzadas, tocados pelo exemplo de João Esmoleiro, acabaram por escolhê-lo como seu patrono. No entender desses maçons, é São João da Escócia, com sua abnegação, dedicação e sacrifício em prol de uma causa maior, quem melhor espelha seu mais fundo ideal.

A Maçonaria e o Santo Graal

Desde os tempos pré-históricos, em diferentes culturas, dos indianos aos egípcios, dos gregos aos babilônicos, os iniciados iluminavam-se por meio de práticas que levavam ao "casamento sagrado", à união dos dois polos da alma: a anima e o animus.

Dessa forma, conquista-se o equilíbrio entre os aspectos feminino e masculino (por exemplo, entre nosso lado criativo e o racional, o sensível e o prático, o intuitivo e o lógico, o ego e a alma) de todos nós.

Essa antiga tradição instilou numa corrente cristã primitiva, o gnosticismo. "Gnose" significa "conhecer a Deus". Tal conhecimento era chamado pelos primeiros cristãos de "Sofia", a profunda sabedoria que permeia todo o Universo e que vem a ser outro aspecto do feminino.

O SIMBOLISMO MAÇÔNICO

Essa meta, a união dos dois aspectos da alma, está expressa em alguns símbolos maçônicos primevos. Em seus primórdios, a ordem maçônica sofreu grande influência do cristianismo gnóstico. Hoje, os principais símbolos da Ordem refletem a tradição dos construtores medievais, que receberam o conhecimento do seu ofício dos templários. A transmissão das técnicas de construção incluía a iniciação nos antigos segredos do Oriente. No final da Idade Média, quando os templários começaram a disseminar as sementes da Moderna Maçonaria, os ícones remetiam a um período anterior ao da Moderna Maçonaria, à época das Cruzadas.

Quando o "segredo" esotérico adquirido no Oriente começou a instilar-se nas diversas ordens religiosas, entre elas a dos templários, a Igreja de Roma começou a perseguir essas irmandades. Exemplo são os cátaros. Membros de uma seita cristã gnóstica que dominava a região da Provença, na França, foram alvo da única Cruzada promovida dentro da Europa e contra cristãos, a Cruzada Albigense (1209 – 1229).

Nesse período, os conhecimentos secretos do cristianismo gnóstico tinham no Santo Graal seu maior símbolo.

Segundo a tradição cristã, o graal é o vaso que José de Arimateia usou para recolher o sangue do Cristo, quando o centurião Longino o feriu mortalmente com uma lança. Seu nome origina-se do fato de ser o recipiente que armazenou o Sangue Real, ou, em francês, *Sang Royal*, termo que corrompeu-se em *Saint Graal*. Depois, José de Arimateia acompanhou Maria Madalena para a Gália, onde a santa levou o Evangelho, e José prosseguiu até a Inglaterra, levando consigo o graal.

O cálice – lapidado da grande esmeralda que caíra da coroa de Lúcifer quando ele sofreu a Queda por ter traído Deus – acabou se perdendo na Inglaterra.

O sumiço fez que a terra se tornasse infértil e varrida por guerras. Só o Graal poderia trazer a recuperação da terra devastada. Por isso, o rei Artur ordenou que seus cavaleiros o resgatassem. A procura simboliza o processo humano na busca da evolução da consciência – o casamento sagrado entre o ego e a alma da pessoa.

O Graal só podia ser recuperado quando um cavaleiro perfeito encontrasse o castelo do Rei Ferido – ou, de acordo com outras tradições, como na ópera Parsival, de Wagner, o Rei Pescador, o guardião do Graal e ao mesmo tempo o próprio Artur Ferido, símbolo do ser humano machucado pela separação entre o ego e o Eu. Depois de encontrar o castelo, o cavaleiro deveria fazer a pergunta correta: "A quem serve o Graal?". Segundo Thomas Malory, autor do clássico *Morte de Artur*, quem acabou encontrando o Graal foi Sir Percival. Da primeira vez que encontrou o castelo, Percival não fez a pergunta. Só muito depois, quando já estava maduro, ele foi capaz de fazer a pergunta e recuperar o Graal. Apenas Percival tinha a pureza e a humildade necessárias para achar o castelo do Rei Ferido e fazer a pergunta que curou a Terra Devastada.

Ao reescrever as histórias de Artur, incorporando elementos cristãos, os trovadores medievais transformaram o cálice de José de Arimatéia num símbolo do feminino. Os trovadores franceses foram muito influenciados pelos cátaros, a seita cristã da Provença, que cultivava práticas religiosas do cristianismo oriental, que remetem à união dos princípios masculino e feminino.

De acordo com os Evangelhos Gnósticos, o feminino foi exemplificado por Maria Madalena, a discípula preferida de Jesus, a quem ele mais amava – o que causou ciúme nos outros discípulos, principalmente, em Pedro, e gerou rumores de que ela teria sido esposa de Jesus. Nos textos gnósticos, Maria Madalena é comparada a Sofia – a profunda sabedoria que permeia todo o Universo, outro aspecto do feminino. De fato, Maria Madalena, na iconografia medieval, é quase sempre retratada segurando um cálice, ou Graal, razão pela qual, às vezes, ela é chamada de "A Dama do Vaso de Alabastro".

Bafomé: Ídolo Maçônico?

O caráter secreto da Maçonaria, com práticas mantidas em sigilo e reservadas apenas para os escolhidos pela Ordem, bem como sua independência política e religiosa, levaram as forças da ordem vigente a combatê-la.

Por meio de perseguições e de propaganda, as monarquias e o clero procuraram neutralizar a força maçônica em sua busca para transformar o mundo. Dessa forma, os maçons passaram desenvolver a reputação de subversivos e, até mesmo, de perigosos.

As Igrejas, particularmente, procuraram instilar em seus fiéis um verdadeiro temor pela Ordem Maçônica. Já nos primeiros momentos da Moderna Maçonaria, no século XVIII, as autoridades religiosas de todas as vertentes cristãs esforçaram-se para detê-la por meio de uma intensa campanha de desinformação.

Afirmaram que a nova ordem mundial dos maçons seria o reino do demônio. Em pouco tempo, os maçons foram considerados "hereges" e, mais veementemente, "satanistas". Seus ritos secretos foram estereotipados, exagerados, fantasiados.

A acusação de satanismo envolve a ideia de um pacto diabólico ou a invocação de espíritos malignos – daí o termo. De acordo com a Enciclopédia Católica, num senso restrito, o satanismo é compreendido como "uma interferência no curso natural da natureza física por meio de recitação de fórmulas, gestos, poções etc., cujo conhecimento é obtido por meio da comunicação com forças latentes do Universo (Deus, o Diabo, a Alma do Mundo)".

A força dos maçons viria, segundo o clero, dos sacrifícios rituais que realizavam. A Igreja Católica já havia dedicado várias obras ao estudo do satanismo, catalogando diversas cerimônias satânicas de invocação, todas manipulando energias vitais poderosas, como sangue e sexo. Baseando-se nesses rituais e na origem templária da Maçonaria, Roma acusou os maçons de serem adoradores de um ídolo peculiar, o Bafomé.

Depois de pouco mais de dois séculos de existência, os precursores dos maçons, os cavaleiros templários, adquiriram grandes conhecimentos e riquezas materiais durante o período que defenderam a Terra Santa. Uma das atividades adotadas e desenvolvidas pelos templários foi a bancária. Aprendendo com os judeus e muçulmanos, a Ordem do Templo de Salomão tornou-se o primeiro banco europeu. Financiando as guerras dos reis europeus, logo os templários tinham a monarquia endividada em suas próprias mãos. Acabaram tornando-se mais poderosos do que o papa. Dessa forma, atraíram sobre si a fúria de Roma e de seus devedores.

O rei da França IV estava extremamente endividado e aliou-se ao papa Clemente V para derrubar os templários. O golpe foi extremo. Na sexta-feira, 13 de outubro de 1307, o rei Filipe, o Belo, aprisionou de uma só vez mais de seiscentos dos três mil templários no país.

Esses prisioneiros foram interrogados sob tortura e produziram confissões que corroboraram as superstições que pairam sobre a Ordem Maçônica até hoje. As informações arrancadas foram o resultado do uso de força, dor e da imaginação dos inquisidores.

Os templários foram acusados de forçar seus iniciados a cuspir na cruz e a tornarem-se homossexuais. Isso, porém, não corresponde à realidade. Uma antiga cópia da Regra Templária relata um caso de sodomia entre templários num castelo da Terra Santa. A punição foi dura: o grupo inteiro foi dispensado, e os acusados, executados.

Trinta e seis dos templários de Paris morreram torturados poucos dias depois da sua prisão, e os que sobreviveram não resistiram às torturas e confessaram a miscelânea de fantasias diabólicas e sexuais que os inquisidores criaram. O último Grão-Mestre templário, Jacques de Molay, também confessou heresias e abominações sob tortura. Confirmou que os templários adoravam o diabo na forma de um gato, na presença de jovens virgens e de demônios femininos.

O Culto da Cabeça Sagrada

Parte da condenação dos templários foi devida ao suposto culto de um crânio santo dentro de um relicário de metal precioso – uma crença mágica comum em vários lugares.

Em seus interrogatórios, os cavaleiros templários confessaram a adoração da cabeça mágica, conhecida como Bafomé, cujo nome talvez combine nome o do deus pagão Baal e o do profeta Maomé.

Quando interrogado em 1307, o templário Hugues de Pairaud declarou que ele tinha sentido, adorado e beijado uma cabeça em Montpelier, e que ela tinha dois pés na frente do pescoço e dois atrás. Alguns templários afirmaram sob tortura que o ídolo parecia um diabo, e que os iniciados gritavam "Iah Alá", quando a beijavam, as palavras sugerindo uma crença em Iavé, ou Jeová, e no Islã. Todas as testemunhas confessaram honrar a cabeça como o Salvador com poder regenerativo de fazer as árvores verdes e as plantas crescerem.

A figura do "Homem Verde", um ser mitológico com esse poder regenerativo, remete à cabeça sagrada. Ela está entre as primeiras imagens maçônicas gravadas em pedra pela guilda de construtores escocesa. A associação entre templários e maçons levou, então, séculos depois, também à crença de que a Moderna Maçonaria adorava o mesmo ídolo. Assim, a Igreja acusou os maçons de cultuarem o ídolo Bafomé.

A associação dos maçons e do culto à cabeça também deve-se ao seu simbolismo. Em muitos romances medievais ligados ao Santo Graal, a cabeça decepada aparece. Acreditava-se que ela poderia falar como o deus celta Bran ou ser venerada sobre um prato como a cabeça de São João Batista – tida algumas vezes como outra manifestação física do Santo Graal. A cabeça falante era uma coisa necessária para o ofício dos alquimistas, cuja mistura de astrologia e conhecimento hermético passou como a ciência da Idade Média.

ALGUNS SÍMBOLOS E RITUAIS MAÇÔNICOS

A origem do mito remonta aos celtas, cuja cultura permeia os ensinamentos dos antigos cavaleiros medievais, preservados pela Maçonaria. O pesquisador Paul Jacobsthal afirma que "entre os celtas, a cabeça humana é venerada acima de tudo, pois para eles a cabeça é a alma, o centro das emoções e a própria vida; um símbolo do divino e dos poderes sobrenaturais." O culto da cabeça está documentado em mitos como o de Bran. Os heróis dessas histórias têm suas cabeças decepadas. Mas, longe de morrer, as cabeças separadas do corpo mundano adquiriam a capacidade de enxergar outra realidade, uma dimensão mítica.

Os guerreiros celtas também costumavam ir às batalhas levando cabeças decepadas de inimigos amarradas em seus corpos e cavalos. Deodoco Siculus, que no século I d.C. escreveu sua obra *História*, na qual registrou que os celtas "decepam as cabeças dos inimigos mortos em combate e as amarram aos pescoços dos cavalos. Os despojos ensanguentados eles entregam aos seus atendentes e pregam esses frutos nas suas casas, da mesma forma como fazem os que exibem certos animais que caçam. Eles embalsamam as cabeças dos inimigos mais distintos em óleo de cedro, as guardam cuidadosamente num baú e as exibem orgulhosamente aos estranhos, dizendo que, por aquela cabeça, um dos seus ancestrais, seu pai, ou ele mesmo, recusou uma grande soma em dinheiro. Alguns bravateiam que recusaram o peso da cabeça em ouro".

Os celtas também acreditavam que se cravassem a cabeça decepada em um mastro ou na cerca de sua casa, a cabeça começaria a gritar quando um inimigo estivesse se aproximando. Se a cabeça fosse de um inimigo considerado particularmente importante, ela era colocada num santuário e venerada. Para os antigos celtas, a cabeça decepada era uma fonte de contínuo poder espiritual. Como a cabeça era a sede da alma, possuir a cabeça de um inimigo, honradamente ganha em batalha, era um troféu para qualquer guerreiro.

O SIMBOLISMO MAÇÔNICO

A história do suposto culto maçônico do Bafomé é um exemplo de como os rumores transformam-se em lendas e estas, em superstição. Conforme sua tradição cristã gnóstica, os maçons certamente têm São João Batista em alta conta. Trata-se de um dos santos importantes, cultuado pela Ordem. No entanto, isso não implica que revivam nesse interesse o culto ao Bafomé.

A verdade sobre o suposto culto maçônico à cabeça tem a ver, de fato, com a iluminação que a Maçonaria busca promover em seus membros. A cabeça é a sede do conhecimento que ilumina o homem e o transforma em um ser humano melhor. Essa "cabeça" de cada indivíduo é que precisa ser cultuada e treinada por meio de iniciações que levam à verdade contida no interior de todos nós. Uma verdade adormecida que só pode ser alcançada no mais profundo silêncio. Certamente, esse conhecimento não está em nenhum ídolo externo, mas na própria pessoa. Conforme reza um velho ditado inglês, "Deus está na minha cabeça, e na minha compreensão".

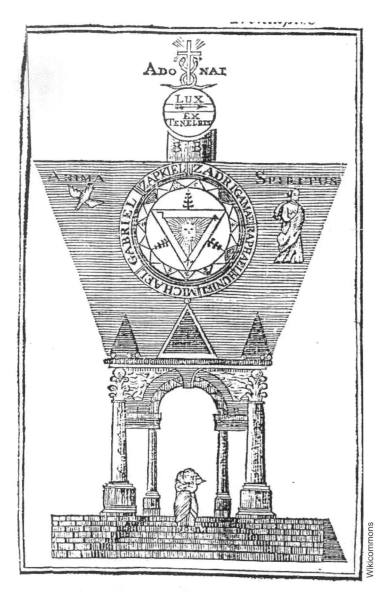

Anima Spiritus, Os Mistérios Mais Secretos, 1778.

LENDAS MAÇÔNICAS

A Maçonaria Especulativa, na sua investigação da verdade divina, lança mão de uma série de símbolos e lendas.

Conforme escreveu o grande enciclopedista maçom Albert Mackey em *O Simbolismo da Maçonaria*, "o maçom é, desde o momento de sua iniciação como Aprendiz até o momento em que recebe toda a fruição da luz maçônica, um investigador, um operário na pedreira e no templo, cuja recompensa deve ser a Verdade". Para tanto, "todas as cerimônias e tradições da Ordem tendem para esse fim". Essa Verdade, porém, só pode ser apreendida por meio de alegorias. As lendas maçônicas, como os símbolos da fraternidade, são importantes alegorias da tradição da Ordem, contendo em suas entrelinhas o conhecimento fundamental acumulado durante eras.

A Lenda do Terceiro Grau

A lenda mais importante da Maçonaria é aquela que relata a morte do arquiteto do Templo de Salomão, Hiram Abiff, chamada de Lenda do Terceiro Grau.

A relevância dessa narrativa é tão grande que seu simbolismo continua preservado em todos os ritos maçônicos. Os mestres-construtores usavam, por exemplo, luvas e aventais brancos durante os funerais de Hiram para mostrar que não tinham nada a ver com seu assassinato – os mesmos aventais e luvas que os maçons usam hoje em suas cerimônias.

De acordo com da Camino, o primeiro registro escrito dessa lenda foi feito na segunda edição da *Constituição de Anderson*. Publicada pela primeira vez em 1723 e tendo sua segunda edição em 1738, a Constituição de Anderson é um marco da Franco-Maçonaria, estabelecendo um novo estatuto que substituiu as *Old Charges,* isto é, as "velhas obrigações" da Maçonaria Operativa. O texto informa que o templo de Salomão "foi finalizado no curto espaço de tempo de seis anos e seis meses, para o assombro de todos, quando a cumeeira foi celebrada pela fraternidade com grande alegria". A magnitude do momento foi, porém, ofuscada "pela morte repentina de seu grande e querido mestre, Hiram Abiff, o qual foi dignamente enterrado na Loja próxima ao templo, de acordo com o costume antigo".

A morte de Hiram Abiff ecoa um costume comum no Egito Antigo, o império das grandes construções, terra de arquitetos e pedreiros (isto é, "maçons"). Para evitar que os segredos das tumbas dos reis fossem revelados, era comum isolar o arquiteto que o projetou, mantendo-o incomunicável. Nessa lenda, Hiram mantém-se espontaneamente calado e não revela a "Palavra do Mestre", isto é, a Verdade Suprema, mesmo que isso lhe custe a vida. Como o segredo só era revelado pelo mestre maçom no momento correto, Hiram prefere morrer a desvelar o conhecimento que, nas mãos de alguém despreparado, pode ter sérias consequências.

Reza a lenda que, depois da conclusão do Templo de Salomão, três companheiros, para tentar obter de Hiram Abiff o segredo da Palavra do Mestre, quel lhes conferiria poderes inimagináveis, decidiram encontrá-lo a sós. Assim, eles esconderam-se no templo, um no sul, outro no norte e outro no leste. Hiram havia entrado, como de costume, pela porta do oeste e, como quisesse sair pelo sul, um dos três companheiros pediu-lhe a Palavra do Mestre, ameaçando

Hiram com o martelo que trazia consigo. Hiram respondeu que ele não receberia a Palavra do Mestre daquela maneira.

O companheiro golpeou, então, Hiram com o martelo. Como o golpe não foi forte o bastante, Hiram conseguiu fugir até a porta do norte, onde encontrou o segundo companheiro. A mesma coisa aconteceu, e Hiram tentou escapar pela porta do leste, onde acabou sendo morto pelo último companheiro.

À noite, os três companheiros enterraram o corpo de Hiram, plantando um ramo de acácia sobre a sepultura para poder reconhecer o lugar.

Depois de sete dias sem ver Hiram, o Rei Salomão ordenou a nove mestres que o procurassem.

Três desses mestres encontraram casualmente o túmulo de Hiram. Desenterraram-no e, para remover o corpo, um deles pegou o cadáver por um dedo, mas a pele destacou-se e ficou na sua mão. A mesma coisa aconteceu com o segundo mestre e com o terceiro: a pele destacou-se do corpo e ficou na sua mão. Quando isso aconteceu, o terceiro mestre exclamou "Macbenac", que significa "a carne deixa os ossos, o corpo está corrompido". A partir de então, "Macbenac" tornou-se a Palavra do Mestre.

Salomão mandou exumar o corpo de Hiram e o sepultou com grande pompa no seu Templo. Durante a cerimônia, todos os mestres maçons traziam aventais e luvas de couro branco para mostrar que nenhum deles sujara as mãos com o sangue do mestre.

O simbolismo dessa lenda remete à origem remota da Ordem Maçônica e sua ligação com os antigos sistemas de iniciação. O grande objetivo da "Maçonaria espúria" da Antiguidade foi ensinar a doutrina que consolidava a imortalidade da alma. Ao observar o ciclo do sol, os antigos viram semelhança com o ciclo humano, o das plantas e o dos animais. E, assim, como o sol, que depois de "morrer" no poente e atravessar os temores da noite renasce a cada novo amanhecer, também a alma dos homens e mulheres renasceria depois da morte do corpo.

    Assim, as religiões dos Mistérios celebravam a morte e o renascimento. No Egito, encenava-se a morte e a regeneração de Osíris. O mesmo acontecia nos Mistérios Órficos, com relação à morte e à ressurreição de Orfeu, e nos Eulesinos, onde ritualizava-se a morte e o ressurgimento de Perséfone, a consorte de Hades, deus dos mortos. Também os cristãos se fortalecem, no exemplo dado por Cristo, com a certeza da imortalidade da alma. O sentido a ser passado nos mitos dos Antigos Mistérios é o mesmo encerrado na Lenda do Terceiro Grau.

    Hiram Abiff é, no sistema maçônico, símbolo da natureza humana. Assim, o construtor do templo – o símbolo visível do mundo – é o ícone mítico do homem, o habitante e transformador deste mundo. A esse homem, foi transmitida toda a verdade divina, aqui simbolizada pela Palavra. Não se trata de uma palavra comum, mas do Verbo em ação – conhecimento capaz de transformar a realidade. Essa palavra é a mesma a que os rabinos judeus referem-se como o nome de Deus, aquele que poucos conhecem. O conhecimento do nome de Deus daria poderes ilimitados a quem detivesse esse segredo.

    Esse homem conhecedor da palavra deixa sua marca no tempo construindo um templo ao espírito – a realização da sua vocação. No entanto, a lenda ensina também que o caminho da vida é cercado de perigos: "Tentações seduzem sua juventude, desgraças escurecem o caminho de sua maturidade e sua antiga época está cheia de enfermidade e doença", interpreta Albert Mackey. Contudo, o maçom "vestido com a armadura da virtude, pode resistir à tentação, pode deixar a desgraça de lado e erguer-se triunfantemente acima dela". Apesar disso, não há como fugir da morte – destino inexorável de todo ser humano. É o ensinamento da lição amarga, mas necessária, da morte.

    A consciência da morte inevitável, cuja obscuridade e temor foram cantados em prosa e verso ao longo de todas as eras, marca profundamente a psique humana. A mais antiga história, o épico Gilgamesh, trata da busca que o herói empreende para vencer a morte e alcançar a vida eterna.

Sigmund Freud, um dos mais influentes pensadores do século passado, postulou que a vida oscila entre Eros e Tânatos – deuses gregos do amor e do sexo e da morte. Ele afirmou que, em última instância, todos os nossos medos e situações temerárias que vivemos remetem, em maior ou menor grau, ao nosso temor pela morte – representado por Tanatos. Para compensar, buscamos a vida por meio de Eros – a sexualidade, o amor, o desejo de união ao belo.

A preocupação com a morte inspirou cultos e religiões. A morte é a raiz da religião egípcia e sua superação, por meio da ressurreição de Jesus Cristo, o cerne do cristianismo – a certeza da Vida Eterna.

Apesar de amedrontador, para muitos, o inexorável encontro com a morte inspira o viver. O oceanógrafo francês Jacques-Yves Cousteau (1910 – 1997) disse, certa vez, que aceitava "a morte não só por ser inevitável, como também construtiva". Para o explorador dos oceanos, a morte refinava a existência. "Se não morrêssemos, não apreciaríamos a vida", afirmou ele.

Quando Timothy Leary (1920 – 1996), o inconvencional pensador que, na década de 1960, liderou os estudos psicodélicos na psiquiatria, anunciou que estava com câncer, uma torrente de jornalistas veio saber o que o guru do "sinta-se bem" tinha a dizer. As respostas de Leary foram, como sempre, surpreendentemente otimistas. Ele declarou estar em "estado de êxtase" e "vibrante" com a perspectiva da sua morte. Em uma entrevista de 1996, Leary, cujas últimas palavras, transmitidas pela internet, foram "lindo... lindo... Por quê? Por quê? Por que não?", disse que, encarando a morte, enfrentava "o verdadeiro desafio de viver uma vida melhor, uma vida cheia de dignidade". E completou: "A maneira como você morre é a coisa mais importante que jamais fez; é a saída, a cena final do glorioso épico da sua vida".

De fato, ao contrário de um possível efeito negativo resultante de enfatizar-se a constante proximidade da morte à realidade humana, trazer esse fato à mente é recomendado por diversos mestres religiosos e filósofos. O samurai Daidoji Yuzan, autor do clássico *O Código do Samurai*, escrito no final do século XVI, enfatiza especialmente a meditação sobre a morte e nossa condição mortal como prática essencial para uma vida saudável. "Aquele que reclama para si o título de guerreiro deve entender que sua mais importante tarefa é ter a morte sempre em mente, do primeiro momento do primeiro dia do ano ao último instante do último dia do ano", escreveu Yuzan. A reflexão sobre a morte, acredita esse samurai, faz que evitem-se excessos e riscos desnecessários. "Independentemente da patente, o guerreiro que deixa a morte escapar de seus pensamentos comerá e beberá demais e se tornará complacente e preguiçoso, por isso perderá a saúde e morrerá antes do tempo e mesmo que viva, será um inútil." Por outro lado, "o guerreiro que tem a morte em mente, mesmo quando jovem, terá uma vida longa e saudável, livre de doenças e moléstias, porque ele evitará excessos com alimentos e bebidas e não terá vícios sexuais".

A espiritualidade dos nativos norte-americanos também enfatiza a reflexão sobre a morte. O conceito é perceber que cada momento pode ser o último. Assim, vê-se que os instantes que constituem nossa vida são extremamente preciosos e devem ser assim percebidos. Ao pensar dessa forma, as disputas e querelas com os outros assumem uma dimensão menor. Se considerássemos, ensinam os xamãs norte-americanos, que nossas palavras, atitudes e decisões podem ser derradeiras, seríamos mais atentos e criteriosos em relação às nossas ações.

Os antigos Mistérios, dos quais a Maçonaria herda suas tradições, encerravam igualmente (e principalmente) a lição da morte. Em seu livro *Origin of Pagan Idolatry* (Origem da Idolatria Pagã), George Stanley Faber informa que "a iniciação aos Mistérios, cenicamente representou o descendente mítico ao Hades (o reino dos mortos) e o retorno desse à luz do dia". Mais adiante, o autor afirma que esses Mistérios, estabelecidos em quase todas as partes do mundo pagão, eram, "todos eles, relacionados ao desaparecimento alegórico, morte ou degradação do patriarca no início e para sua invenção, ressurreição ou retorno do Hades".

A lição da superação da morte é justamente o sentido maior da Lenda do Terceiro Grau. Assim como Hiram Abiff, estamos sujeitos à ameaça constante da morte. Contudo, o sentido oculto no final da lenda pretende, segundo Albert Mackey, "transmitir o simbolismo sublime da ressurreição da tumba e de um novo nascimento para uma vida futura". A descoberta do corpo de Hiram e sua remoção para um local sagrado e honrado dentro do templo simbolizam a grande verdade da Maçonaria, a de que quando o homem atravessa os portões da vida e retira-se para a morte, ele será elevado "do tempo para a eternidade".

É uma grande alquimia, uma grande transformação, conforme a meta maior da Maçonaria, que é transformar o homem, levando-o à sua iluminação, "da tumba da corrupção às câmaras da esperança, da escuridão da morte aos raios celestiais da vida", conforme Mackey interpreta.

Embora a ideia geral de uma ressurreição ou restauração esteja contida na Lenda do Terceiro Grau, outras interpretações foram tiradas dela. Para alguns autores, a lenda diz respeito à destruição da Ordem dos Templários. Em alguns graus maçônicos altamente filosóficos, a Lenda do Terceiro Grau aproxima-se do cristianismo e é ensinada como referência aos sofrimentos, à morte e à ressurreição de Cristo. Para um dos mais proeminentes escritores maçons da Inglaterra, William Hutchinson (1732 – 1814), esse mito incorpora a noção da decadência da religião judaica e o surgimento, a partir de suas cinzas, do cristianismo. Interpretando a história maçônica de Hiram Abiff, Hutchinson escreveu que "essa nossa Ordem [a Maçonaria] é uma contradição positiva à cegueira e à infidelidade judaica e testemunha nossa fé concernente à ressurreição do corpo".

Como Hutchinson, outros estudiosos relacionam a lenda da morte de Hiram à ressurreição da alma anunciada no cristianismo.

Esses autores remetem o assassinato de Hiram ao de Abel por Caim, referindo-se simbolicamente à morte da raça humana por meio de Adão – a origem mortal da humanidade e causador da sua ruína – e à ressurreição por meio de Cristo. O autor de *The Historical Landmarks and Other Evidences of Freemasonry* (As Landmarks Históricas e Outras Evidências da Maçonaria), George Oliver (1782 – 1867), ao responder à questão "qual foi a origem da nossa tradição?", compara a Lenda do Terceiro Grau ao incidente entre os filhos de Adão e Eva. Oliver escreveu que considera "a oferenda e assassinato de Abel por seu irmão Caim, a fuga do assassino, a descoberta do corpo pelos seus pais desconsolados e seu enterro subsequente sob certa crença de sua ressurreição final da morte e a detecção e punição de Caim pela vingança divina".

Entre as muitas interpretações propostas para a Lenda do Terceiro Grau, supõe-se, ainda, que Hiram simboliza a razão eterna, cujos inimigos – os três assassinos da lenda – são os vícios que corrompem e destroem as pessoas.

Contudo, vale lembrar, apesar do vulto de autores como Hutchinson e Oliver que, embora o cristianismo e a Maçonaria encerrem a Verdade Maior, a Ordem Maçônica antecede a instituição cristã. Seus símbolos e mitos foram herdados do Templo de Salomão e do povo que os precedeu – os egípcios. Ao contrário do cristianismo – e de todas as outras religiões –, a Maçonaria é universal, cosmopolitana, ou, nas palavras de Albert Mackey, "seu altar permite que homens de todas as religiões ajoelhem-se e, a este credo, discípulos de todas as fés podem contribuir".

A Lenda do Terceiro Grau ecoa tradições muito antigas que iniciavam o discípulo nos mistérios e ensinavam que, embora o corpo seja suscetível à corrupção da morte, a alma é imortal. Posteriormente, o cristianismo absorveu em seu sincretismo a interpretação de uma ressurreição ou restauração da vida. De qualquer forma, os dois sistemas – o maçônico e o cristão – encerram o conceito da imortalidade da alma. Essa grande verdade constitui, segundo Albert Mackey, "o fim, o objetivo e a causa de toda Maçonaria, mais especialmente o Terceiro Grau, cuja lenda peculiar, simbolicamente considerada, ensina que há uma parte imortal e melhor em nós, que, como uma emanação do espírito divino que penetra toda natureza, não pode morrer".

A História do Cavaleiro do Leão

Uma antiga lenda conta que, quando Salomão perdoou os oficiais rebeldes, um deles, que não poderia esquecer o castigo infligido a seus camaradas, decidiu assassinar Salomão.

Dirigiu-se ao palácio, para apunhalá-lo, matando um dos soldados que proibia sua entrada. Porém, Salomão o combateu bravamente e o obrigou a fugir para as montanhas. Os guardas de Salomão perseguiram-no, em vão, durante doze dias, até que um deles, chamado La Bauce, avistou um leão arrastando um homem ao covil. O leão havia caçado e abatido o homem. La Bauce cortou a cabeça do cadáver e levou-a a Salomão, que o recompensou dando-lhe um cinturão, símbolo da virtude, de cuja extremidade pendia um leão de ouro, representação do valor, que levava na boca uma maçã com a qual fora morto.

Uma vez concluído o Templo, vários obreiros dedicaram-se, sob a direção de um chefe, ao trabalho de reformar os costumes, levantar os edifícios espirituais, com o que fizeram-se recomendáveis pela sua caridade. Foram chamados Pais Kadosh, que quer dizer "separados pela santidade de sua vida".

Não se sustentaram durante muito tempo, porque esqueceram dos deveres e a avareza tornou-os hipócritas. Rapidamente, os Pais Kadosh afastaram-se de seus deveres, ultrapassando os limites do bem-agir. Conservou-se, todavia, a Ordem, porque alguns, observadores zelosos da lei afastaram-se deles e elegeram, então, um grão-mestre vitalício; parte deles permaneceu na Síria e Sicília, dedicando-se às boas obras; os restantes foram habitar as possessões da Líbia e da Tebaida; em seguida, seus retiros foram habitados por solitários conhecidos pelo nome de Pais do Deserto.

Essa Ordem persistiu desde os judeus até os cristãos. Depois da destruição do Templo, muitos abraçaram o cristianismo. Reuniram-se, constituindo uma única família. Todos os seus bens foram comuns. Alexandre, patriarca da Alexandria, era seu maior líder. Passavam a vida louvando e bendizendo a Deus e ajudando os pobres, que consideravam seus próprios irmãos. Foi assim que esta venerável Ordem se susteve até os fins do sexto século e, hoje, todos os irmãos buscam suster seu brilho passado.

Os Quatro Mártires Coroados

Um dos mais antigos textos maçônicos é o Manuscrito Regius, escrito em forma de poema no começo do século XIV.

O manuscrito faz referência a um dos ícones da Maçonaria: a história dos "Quatro Mártires Coroados".

Diz a lenda que, no tempo do imperador Diocleciano – notório por suas perseguições aos cristãos –, cinco pedreiros recusaram-se a esculpir uma estátua pagã. Ao mesmo tempo, quatro soldados desobedeceram à ordem de incensar o altar de Esculápio, o deus da medicina. Os nove rebeldes foram executados. Condoído, o papa Melquíades concedeu, em 310, o título de *Quatuor Coronati* (Quatro Coroados) aos soldados, que passaram a ser padroeiros do ofício da construção em alvenaria.

A Lenda das Escadas em Espiral

A espiral é o símbolo imemorial da força vital. É uma das formas que repetem-se com mais constância na natureza – das galáxias aos redemoinhos, das conchas dos caramujos às digitais humanas e à estrutura helicoidal do DNA.

Também na arte, as espirais são um dos motivos decorativos mais comuns – uma das características maiores da arte celta e nórdica. Gravadas nos monumentos megalíticos, as espirais sugerem o labirinto pelo qual a alma passa em sua jornada rumo à existência após a morte. A espiral também representa o tempo, os ciclos da natureza e do nascimento e morte. Os símbolos que empregam espirais duplas, como o Caduceu de Hermes – o ícone adotado pela medicina –, sugerem equilíbrio de opostos, mas, em alguns casos, como a kunadalini indiana, remete à fertilidade.

O simbolismo da espiral ocupa papel de destaque na Maçonaria, nesse caso uma alegoria ligada ao grau de Companheiro baseada em um versículo bíblico do sexto capítulo do Primeiro Livro de Reis. "A porta para a câmara do meio estava do lado direito da casa; e eles subiram pelas escadas em espiral à câmara do meio e saíram da câmara do meio para a terceira", reza o texto.

A Escada em Espiral começava no pórtico do Templo de Salomão. O pórtico, a entrada do templo, por sua vez, representa a Presença Divina. É preciso passar pelo pórtico e entrar no templo para tornar-se maçom, para nascer no mundo da luz maçônica. Ao entrar nesse templo simbólico de conhecimento, o candidato torna-se Aprendiz. Quando o candidato avança outro grau e torna-se Companheiro, sua verdadeira educação maçônica tem início. Esse momento é simbolizado pela escada em espiral, "que convida-o a ascender e que, como símbolo do discípulo e da instrução, ensina-lhe onde deve começar seu trabalho maçônico – aqui ele deve iniciar as pesquisas gloriosas, embora difíceis, que o levarão à posse da Verdade divina", escreve Albert Mackey. No alto dessa escada estão os tesouros do conhecimento, a Verdade maior.

O candidato que começa a subida das escadas recebe instruções simbólicas a cada etapa. Primeiro, é informado sobre a organização da ordem à qual pertence. Essa instrução pretende informar o aspirante sobre a união dos homens na sociedade e o desenvolvimento da natureza do estado social. São as benesses que surgem com a civilização e com o conhecimento que se desenvolve e é transmitido de civilização para civilização.

Em seguida, o candidato contempla outra série de instruções. Nessa etapa, os sentidos humanos são referidos como as fontes mais importantes do nosso conhecimento e simbolizam aqui o cultivo intelectual. A arquitetura, intimamente ligada à Maçonaria Operativa — aquela praticada na Idade Média pelas corporações de pedreiros-construtores —, também é aludida como símbolo de todas as outras artes úteis. Assim, nessa segunda escala na ascensão das Escadas em Espiral, o maçom é lembrado da necessidade de obter-se conhecimento prático.

Na terceira pausa, o maçom recebe ensinamentos sobre o círculo completo da ciência humana. Mackey explica esse ponto: "No século 7, e por um longo tempo depois, o círculo de instrução ao qual toda a aprendizagem das mais eminentes escolas e dos mais distintos filósofos ficou confinada estava limitado ao que foi então chamado de artes e ciências liberais, e que consistia de dois ramos, o trívio e o quadrívio". Enquanto o primeiro incluía a gramática, a retórica e a lógica, o segundo compreendia a aritmética, a geometria, a música e a astronomia. De acordo com o pensamento em voga, quem fosse mestre dessas artes era capaz de resolver quaisquer questões situadas no compasso da razão humana. O conhecimento do trívio dava ao seu possuidor a chave de toda a linguagem e o do quadrívio revelava as leis secretas da natureza.

Na Antiguidade, quando o conhecimento científico e das ciências humanas era comparado à manipulação da magia, poucos eram instruídos no trívio e, menos ainda, no quadrívio. Aquele que dominasse ambos os conhecimentos assumia, de fato, o caráter de filósofo. O maçom que alcançou esse ponto pode prosseguir e completar a tarefa para a qual foi iniciado e, ao alcançar o último degrau, absorver o total aprendizado humano.

Na tradição maçônica, a recompensa recebida no final da árdua jornada de iluminação não é "nem dinheiro, nem milho, nem vinho, nem óleo". Sua recompensa é a Verdade. Mas não a verdade parcial, aquela concebida a partir do ponto de vista daquele que a interpreta. Essa verdade de perspectiva pessoal é apenas um aspecto da Verdade maior, aquela que está acima da realidade e da compreensão humana ordinária. Essa Verdade só pode ser apreendida ou talvez vislumbrada pelos homens e mulheres se unirem os aspectos subjetivos e objetivos de suas mentes.

O iniciado nas religiões dos Mistérios "sabe o fim", e, por isso, "conhece a origem da vida". A Câmara do Meio simboliza essa vida, onde pode-se aproximar da Verdade. Essa é a maior recompensa do maçom – e está inscrito também no simbolismo numérico das Escadas em Espiral. A ascensão do peregrino finda na Câmera do Meio, ou Santo dos Santos, onde está a presença de Deus. É ali que o maçom recebe as recompensas por suas obras.

O número de degraus da escada em espiral maçônica é sempre ímpar. O arquiteto romano Vitrúvio, que viveu no século I da nossa era, testemunhou que os templos antigos sempre tinham um número ímpar de degraus. Assim, se o fiel começasse a subir a escada com o pé direito, chegaria ao último degrau pisando-o com o mesmo pé que iniciou a subida – um sinal de bom presságio.

O número de degraus também reflete a filosofia pitagórica, grande influência na moderna Maçonaria Especulativa. O simbolismo numérico das Escadas em Espiral constitui outro trecho dessa mensagem escrita claramente para aqueles que conhecem o alfabeto dos símbolos. A escada é feita de três divisões, respectivamente de três, cinco e sete degraus. Os antigos atribuíam especial importância aos números três, cinco e sete, uma vez que consideravam que, excluindo o número um, esses são os três primeiros números ímpares. Além disso, são divisíveis apenas por um e por eles mesmos (números primos).

Os números ímpares eram considerados masculinos. Assim, o número um, divisível apenas por ele mesmo e cujo resultado é ele mesmo, unido ao número feminino dois, resultava em três, a Trindade. O simbolismo do número Três é poderoso, compreendendo muitos significados diferentes ou complementares para muitos povos e nações. O Três remete ao céu. É o número da síntese, da resolução, da criatividade, da versatilidade, do nascimento e do crescimento. Pitágoras considerava o três o número da harmonia, e Aristóteles considerava-o o número da completude.

O número cinco é composto do número três – e de todo o significado nele contido – e do número dois, o primeiro número par. Como resultado de um número masculino (três) e do feminino número dois, o número cinco representa, de acordo com Pitágoras, o casamento – a união que permite a renovação da Criação. O cinco também se relaciona aos cinco planetas conhecidos na Antiguidade e igualmente aos cinco sentidos – capacidades que nos permitem apreender o mundo ao nosso redor e com ele nos relacionarmos. O cinco é o número humano, representado pelo pentagrama – signo, aliás, dos maçons pitagóricos. Remete seus muitos significados à totalidade, formada pelos quatro pontos cardeais e o meio – o "umbigo do mundo" de tantas culturas primevas.

Por todas as eras e terras, o número sete ocupa destaque: os sete pecados capitais, as sete virtudes cardinais, os sete dias da semana, os sete dias da Criação e assim por diante. É um número sagrado e mágico que simboliza a ordem cósmica e espiritual, bem como a conclusão de um ciclo natural. O sete era fundamental no universo mesopotâmico, que divide a terra e o céu em sete zonas. É também o número das Colunas da Sabedoria e a soma das três ciências que compõem a trívia com as quatro que constituem a quadrívia.

O número total de degraus, quinze, também encerra significado místico. Esse número era sagrado entre os judeus, pois a soma das letras (que entre alguns alfabetos antigos representavam igualmente números, como, por exemplo, os sistemas numerais grego e romano) do nome sagrado Jeová era quinze. Assim, os quinze degraus das Escadas em Espiral remetem ao nome de Deus.

A escada em espiral evoca a ascensão que leva a Deus, à Verdade maior, e reflete por isso a caminhada do maçom da escuridão rumo à luz, da ignorância à sabedoria, do estado inferior ao superior.

Incorpora a própria busca do maçom de apreender a Verdade divina. Conforme Albert Mackey, "o candidato sempre ascende, ele nunca fica parado, nunca volta atrás, mas cada passo que dá o leva a alguma nova iluminação mental – ao conhecimento de algumas das doutrinas mais elevadas". Mackey adverte também que é apenas como símbolo que devemos interpretar a lenda das Escadas em Espiral. "Se tentarmos adotá-la como um fato histórico" – aliás, um erro que muitos cometem e que termina por absolutizar o símbolo, perdendo assim seu verdadeiro sentido de "chave" que leva a um conhecimento que só pode ser apreendido pela intuição – "o absurdo de seus detalhes nos encara e os homens sábios se espantarão com nossa credulidade", avisa Mackey.

A escada é, assim, um poderoso mito filosófico, uma representação da sublime jornada de conhecimento empreendida pelo homem que deseja iluminar-se e, assim, libertar-se das condições humanas inferiores e acessar o espectro mais elevado da nossa consciência.

A Lenda do Ramo da Acácia

A antiguidade da Maçonaria faz que ela incorpore no seu tecido filosófico elementos de tradições de sabedoria que há muito se perderam nas areias do tempo.

Um desses aspectos é o simbolismo das plantas e árvores sagradas, comum a praticamente todos os povos e religiões primevas.

Desde o surgimento da nossa espécie no planeta, o uso de certas plantas, as chamadas de Plantas Mestras, Plantas de Conhecimento, Plantas de Poder, Plantas Sagradas, empregadas para acessar-se um estado diferenciado de consciência, era – e continua sendo – muito comum. Muitas dessas plantas, classificadas como enteógenas, do grego *entheos*, isto é, que têm "Deus dentro", participaram e participam de cerimônias em todos os continentes – do coração da Amazônia ao jângal indiano. As Plantas de Poder são ingeridas em rituais, obedecendo a preceitos mágico-religiosos. Normalmente, aumentam a percepção, a acuidade visual e auditiva e transportam o praticante a um estado de consciência incomum. Essas Plantas de Poder deram início à primeira tradição mitológica relacionada ao simbolismo das plantas e árvores sagradas.

Quando as mulheres domesticaram as plantas, o advento da agricultura causou uma das maiores – senão a maior – revolução na humanidade. Agora, não era mais preciso seguir as manadas de animais por meio de territórios longínquos e perigosos ao longo de todas as estações do ano. A agricultura possibilitou o estabelecimento das primeiras aldeias, que acabaram se transformando em cidades e, com elas, veio a civilização. A própria etimologia da palavra indica isso: "civilização" vem de "civil", que, por sua vez, deriva do termo latino *"civilis"*, isto é, relativo à vida nas cidades.

Não é de admirar, portanto, que a mudança no estilo de vida dos humanos com o advento da agricultura tivesse enorme impacto. A partir de então, houve uma mudança na visão de mundo. As cosmogonias – as descrições da criação do mundo e do Universo – foram completamente alteradas. Os homens e as mulheres passaram a perceber no ciclo agrícola de preparar a terra, semear, esperar brotar, ceifar e colher uma semelhança incrível não só com a vida humana, mas também com o ciclo das estações do ano e das estrelas. A vida das plantas refletia a realidade humana e de todo o Universo. No centro dessa constatação estavam os dramas da vida e da morte que tanto nos impressionam. Criaram-se mitos que espelhavam essa convicção, encenados em ritos e sacrifícios humanos. Ísis, Deméter e Perséfone, Osíris e Tamuz são deuses que morrem para voltar a viver ou que estão envolvidos no drama da ressurreição. As plantas, cujo ciclo reflete o de todas as coisas do Universo, dizem-nos que a morte é condição da vida, que mesmo tendo de morrer, continuaremos a viver: apesar de serem ceifadas, no ano seguinte renascem com a mesma exuberância e força.

Entre os mitos que surgiram, estão os que se referem às plantas sagradas, aos homens-verdes, responsáveis pela germinação das sementes, a deuses e deusas que controlam o ciclo das plantas. Os druidas e os xamãs nórdicos eram notórios por seus bosques sagrados – círculos de árvores divinas plantados ao longo dos séculos. Cada uma dessas árvores encerra um significado próprio, que evoca os mistérios do Universo que tanto desejamos desvendar. O carvalho é particularmente importante para os celtas. As plantas também ocupam posição de relevo na mitologia das religiões afro-brasileiras, em que são usadas pelo poder que concedem àquele que delas lança mão.

A acácia é uma dessas árvores sagradas. Seu simbolismo é muito antigo e tem lugar em todos os continentes. Na Índia, no Nepal, na China e no Tibete, usa-se diversas partes dessa árvore, especialmente a casca, as raízes e a resina, para a fabricação de incenso para rituais. Acredita-se que a fumaça da casca da acácia é capaz de afastar demônios e fantasmas e de deixar os deuses de bom humor. De acordo com o dicionário bíblico Easton, é provável que a sarça ardente que Moisés encontrou no deserto fosse a acácia. Igualmente, quando Deus instruiu Moisés quanto à construção do Tabernáculo, disse: "Faça uma arca de madeira de acácia", bem como uma mesa da mesma madeira. A coroa de Cristo era feita de espinhos de acácia. Na Rússia, Itália e em outros países, é costume presentear as mulheres com flores de mimosa – o nome popular da acácia dealbata – no Dia Internacional da Mulher (8 de março).

Contudo, o simbolismo mais poderoso da acácia remete à imortalidade, especialmente na tradição judaico-cristã. É esse o contexto do simbolismo da acácia na Maçonaria.

O simbolismo das plantas sagradas também faz parte da Maçonaria – a mais antiga herdeira das tradições que surgiram no início da humanidade. Provavelmente, o maior resquício desse conhecimento é a lenda do Ramo de Acácia. Na Maçonaria, a acácia representa a permanência da alma e, enquanto símbolo funerário, significa ressurreição e imortalidade. A árvore tem destaque na Lenda do Terceiro Grau, em que é mencionada no funeral de Hiram Abiff, o construtor do Templo de Salomão: ramos de acácia foram depositados no túmulo de Hiram.

E como a lenda do Terceiro Grau, na Maçonaria, a acácia é adotada como símbolo maior da imortalidade da alma – "a importante doutrina que a instituição deve ensinar", conforme escreveu Albert Mackey. A acácia, como o visgo dos antigos druidas celtas, é sempre verde, conservando aparência jovem e de vigor. Por isso, é comparada à vida espiritual, em que a alma, livre da corrupção do corpo, desfruta a liberdade e a juventude imortal. Com efeito, nos rituais funerários da Maçonaria, costuma-se dizer: "Esta sempre verde (a acácia) é um emblema da nossa fé na imortalidade da alma. Por meio dela somos lembrados da parte imortal que carregamos e que deve sobreviver ao túmulo e nunca, nunca, nunca deverá morrer". Igualmente, nas sentenças de encerramento da leitura monitória do Terceiro Grau, o mesmo sentimento é celebrado, ensinando o maçom que, por meio do "ramo sempre-verde", ele será fortalecido "com confiança e compostura para buscar uma imortalidade abençoada".

Como tudo na Maçonaria, essas fórmulas ecoam tempos imemoriais. De fato, era costume – e continua sendo em algumas partes do globo – levar, ao funeral, ramos de árvore sempre-vivas, geralmente de cedro ou de cipreste. Ainda hoje, as árvores predominantes nos cemitérios são cedros e ciprestes. De acordo com o escritor maçônico Frederick Dalcho, que viveu no final do século XVIII e início do XIX, os hebreus sempre plantavam um ramo de acácia no túmulo de um amigo falecido – exatamente como acontece no funeral de Hiram Abiff. "De acordo com as leis dos hebreus", escreve Dalcho, "os corpos dos mortos não podiam ser enterrados nas paredes das cidades; e como os cohens, ou sacerdotes, eram proibidos de pisar um túmulo, foi necessário colocar marcas para evitar a situação. A acácia foi usada com esse propósito".

Outro autor, Oliver Blount, escreve sobre os costumes funerários judeus, detalhando que "os que depositam uma pedra de mármore sobre qualquer túmulo fazem um buraco de 90 centímetros por trinta de largura no qual plantam uma sempre-viva, que parece crescer do corpo".

É curiosa a semelhança entre esse relato de Blount e diversas lendas sobre a origem de plantas que se tornaram a base da alimentação de um determinado povo ou cultura. Na tradição dos índios brasileiros, a mandioca nasce do túmulo de uma pequena menina. As lágrimas derramadas pela mãe inconsolada fazem brotar a mandioca do corpo da criança. É como se ela renascesse em forma de planta. A lenda da origem do guaraná, narrada por algumas tribos amazônicas, é muito semelhante, como também é o mito do surgimento do milho, entre os índios Sioux dos Estados Unidos. Os antigos gregos também enfeitavam as tumbas dos seus entes e amigos queridos com plantas sempre-vivas. O nome de uma delas, o amaranto, significa justamente "nunca esmaecer".

Com o advento do cristianismo, a árvore sempre-viva veio a ser substituída pela cruz na qual Jesus morreu. Dessa forma, o cristianismo, que também encerra a ideia da imortalidade da alma, garantindo ao fiel a vida eterna, transformou um instrumento de suplício – a cruz, utilizada por tantos povos para infligir uma morte cheia de agonia aos prisioneiros – em símbolo da imortalidade da alma. A cruz diz ao cristão que, embora ele certamente vá morrer, a vida eterna é garantida a ele.

Assim, a Maçonaria adota o ramo de acácia como emblema de imortalidade entre os símbolos do Terceiro Grau, em que as cerimônias visam a ensinar a grande verdade que, nas palavras do escritor maçom Robert Crucefix (1797 – 1850), "a vida do homem, regulada pela moralidade, fé e justiça, será recompensada na última hora pelo prospecto da alegria eterna". Quando o grão-mestre afirma, "meu nome é acácia", ele está se referindo ao significado primeiro do símbolo, o de que, segundo o reverendo George Oliver (1782 – 1867), autor de *Antiquities of Freemasonry* (Antiguidades da Franco-Maçonaria), o homem iniciado, o maçom, portanto, depois de morto, pode exclamar: "Estive na sepultura, triunfei sobre ela ao levantar dos mortos e sendo regenerado nesse processo, tenho uma declaração para a vida duradoura".

O SIMBOLISMO MAÇÔNICO

O simbolismo da acácia, porém, encerra outros significados adotados pela Maçonaria. A palavra grega *akakia* significa "inocência", ou o "estado livre de pecados". E aqui vale discorrer um pouco sobre o conceito original do termo "pecado". A palavra original, *hamartia*, foi desenvolvida pelo filósofo Aristóteles (384 – 322 a.C.) em sua obra Poética para designar uma falha grave do protagonista de uma dada tragédia. O termo deriva da palavra grega *hamartanein,* que significa "errar o alvo" e, por consequência, provocar algum acidente ou problema. Assim, pecado nada mais é do que "errar o alvo", e o pecador é quem erra o alvo – o alvo da vida ou de alguma atitude ou ação a ser tomada pontualmente. Não há pecado maior do que "errarmos o alvo" da realização maior que nossa vida encerra. Assim, não desenvolver um talento latente é "errar o alvo" ou "pecar"; fazer uma escolha contrária à sua convicção, seja por pressão, por comodismo ou por ceder à situação, é "errar o alvo"; entregar-se a atividades não naturais ou imorais, práticas que, por exemplo, em vez de cultuar a vida, valorizam e buscam a morte, é hamartia. Dessa forma, a inocência simbolizada na Maçonaria pela acácia, significa "acertar o alvo" ao "fazer o que é certo".

Finalmente, a acácia ainda representa, na Maçonaria, a iniciação. Nas antigas tradições iniciáticas de todo o mundo antigo, chamadas de Mistérios, sempre havia uma planta consagrada pelo seu significado esotérico e que ocupava uma posição importante na celebração dos ritos. Assim, por conta da proeminência do seu uso nas cerimônias de determinada iniciação, essas plantas tornaram-se seu símbolo.

Nos Mistérios de Adônis, originados na Fenícia e que, com o tempo, chegaram à Grécia, eram encenadas a morte e a ressurreição desse semideus. Na lenda de Adônis, ele foi morto por um javali, símbolo das deusas de fertilidade. Afrodite, a deusa do desejo, que era celebrada em Roma com Vênus, apiedou-se de Adônis e colocou seu corpo sobre uma cama de alface. Assim, nas celebrações, durante os ritos funerários, folhas de alface recém-plantadas eram carregadas em procissão. No hinduísmo e no budismo, a planta sagrada é o lótus, pois encerra os quatro elementos primordiais – terra, água, ar e fogo. O lótus é uma planta aquática que se alimenta do lodo das lagoas (água e terra). Suas folhas e flores abrem-se para o ar e sua cor remete ao fogo. Os egípcios também adotaram essa planta nos rituais dos Mistérios praticados no país. Entre os celtas e os nórdicos, o visco era a planta sagrada, símbolo da iniciação na imortalidade da alma. Os druidas buscavam o visco sagrado em seus bosques, quase sempre nascendo ao redor de carvalhos. Quando o encontravam, cortavam-no cuidadosamente, usando, para tanto, uma foice de ouro.

Assim, o terceiro significado da acácia, para a Maçonaria, é o de iniciação. Mas, se nos antigos Mistérios, a planta sagrada representava a iniciação, a própria iniciação remetia à ressurreição e, portanto, à imortalidade da alma.

Na Maçonaria, a acácia simboliza, portanto, a imortalidade, a inocência e a iniciação. Contudo, os três significados estão intimamente relacionados. Esse único símbolo implica que, na iniciação da vida, a inocência deve, por algum tempo, permanecer na sepultura até ser chamada, "pelo grão-mestre do Universo", conforme Albert Mackey, para abraçar a imortalidade.

O TEMPLO MAÇÔNICO E SEUS SÍMBOLOS

Na Maçonaria, templo é o local de reunião de uma Loja. Tem a forma retangular e não deve ter janelas. As paredes são pintadas de azul, decoradas com um cordão que forma, de distância em distância, 81 nós emblemáticos. O teto representa a abóbada celeste, repleta de estrelas.

A palavra "templo" remete, é claro, ao Templo de Salomão. Apesar disso, os templos maçônicos não refletem o edifício histórico. Não se pode dizer que existe um "estilo maçônico" pelo qual se é capaz de identificar uma Loja maçônica apenas pela observação do seu exterior.

O simbolismo do templo remete às palavras de Jesus, quando, ao expulsar os cambistas e mercadores do Templo de Jerusalém, afirmou que tinha poder para agir daquela maneira porque iria "destruir este templo e em três dias o reedificarei". Ele referia-se ao templo do seu corpo. Esse é o templo maçônico.

São Paulo traduziu essas ideias afirmando que "sois Templo de Deus e o espírito de Deus habita em vós".

O Altar

O altar é o lugar onde o espiritual se materializa. No Brasil, não há uma uniformização do altar. Algumas Lojas constroem-no em forma de triângulo; outras, quadrado; há ainda as Lojas que o apresentam como uma pequena coluna. Sobre o altar, são colocados o livro sagrado, um compasso e um esquadro – chamados de utensílios. São os apetrechos usados para construir o "edifício" que será o futuro maçom. Geralmente, o livro sagrado é a Bíblia, mas isso depende de onde a Loja estiver localizada. Além desses elementos, há ritos que colocam outros símbolos sobre o altar, como a Espada Flamejante.

O Esquadro

Para os antigos egípcios, o esquadro era um quadrado perfeito, usado no culto de Osíris para julgar os homens. Na Maçonaria, representa a terra e orienta a marcha do Aprendiz do começo ao fim. Trata-se do símbolo maçônico mais usado e conhecido. Todos os graus da Maçonaria têm o esquadro como símbolo primário. Por ser uma figura geométrica, ele indica o equilíbrio do comportamento que conduz ao aperfeiçoamento humano no "caminho reto da justiça".

O Compasso

Esse instrumento serve para uma das figuras geométricas mais cheias de simbolismo: o círculo. O compasso, porém, também é um utensílio que pode tanto medir como transferir medidas. Sua posição traduz a estática e a dinâmica. Com suas hastes fechadas, ele somente marca um determinado ponto – um símbolo para o início da viagem empreendida pelo Aprendiz. Abertas, as hastes traçam o círculo – o infinito, o palco onde a vida acontece e evolui.

O uso do compasso na Loja maçônica remete mais ao grau de Mestre do que aos demais. O homem dentro do círculo é o ponto marcado pela ponta seca do compasso. "No ponto", escreve Rizzardo da Camino, "nós estamos em Deus e Deus está em nós".

Grandes Joias

O Livro Sagrado, o esquadro e o compasso são as "grandes joias" e as "grandes luzes" da Maçonaria. Quando a Loja está fechada, a Bíblia fica igualmente fechada. Quando, porém, a Loja está aberta, esse livro é aberto e, sobre suas páginas, coloca-se o esquadro como ângulo para o Ocidente. Sobre este, assenta-se o compasso com abertura de 45°, com as pontas também voltadas ao Ocidente.

O Triângulo com Olho

No templo de algumas Lojas, sobre a cadeira do Venerável da Loja – o trono –, há um triângulo luminoso com um olho humano. É a representação da presença material de Deus. O olho representa "Aquele que Tudo Vê." Curiosamente, os budistas também empregam um "Olho que Tudo Vê" nas suas stupas (templos) para representar Deus.

Embora esse triângulo não seja obrigatório, é um dos símbolos maçônicos mais conhecidos. Em algumas Lojas, em vez de olho, há uma letra G, ou a palavra *Iod* em caracteres hebraicos. Aqui, a representação é a do Grande Geômetra, outra expressão para designar o Grande Arquiteto do Universo. Sua importância maior está no grau Companheiro.

A Régua de 24 Polegadas

A retidão, isto é, a observância das leis, sempre foi uma das principais preocupações da Maçonaria. Toda a natureza é regida por leis que garantem aquilo que os gregos antigos chamavam de *kosmos*, ou seja, "a ordem harmoniosa das coisas".

Na Maçonaria, a régua simboliza um método de realização. Quando o candidato é admitido como recipiendário, ele dá seu primeiro passo em linha reta, levando a régua em seu ombro. As 24 polegadas da régua maçônica representam as horas do dia.

O Pavimento Mosaico

Esse símbolo, formado por ladrilhos quadrados alternados, brancos e pretos, é um dos três ornamentos da Loja (os outros dois são a Estrela Flamejante e a Borla Festonada de 81 nós). Em alguns ritos maçônicos, as cores do Pavimento alternam-se entre branco, preto e vermelho. O simbolismo do Pavimento Mosaico remete à diversidade dos homens e de todos os seres, animados ou inanimados. É, de certa forma, semelhante à Rede de Indra, da mitologia hindu e budista. A rede de Indra, o deus do Fogo, simboliza a inter-relação inexorável de todos os seres do Universo. Os nós da rede – os pontos que unem todos os seres – são compostos de joias que refletem como milhares de espelhos todos os indivíduos relacionados.

A Borda Festonada

Esse ornamento, geralmente colocado no perímetro da Loja, tem diversas interpretações simbólicas. É a "muralha" protetora em torno da humanidade. Seus laços, formados pela Borda nos quatro cantos da sala, simbolizam temperança, fortaleza, prudência e justiça. Também evocam os quatro elementos: terra, ar, fogo e água. Relembram, também, a Cadeia de União, a unidade ininterrupta entre os maçons. A cor da Borda Festonada varia, mas, em geral, é dourada.

A Estrela Flamejante

O terceiro ornamento não é a única estrela da Loja. Além das constelações que formam os símbolos do zodíaco, há três estrelas: uma de cinco pontas; outra, de seis; e a terceira, de sete. A Flamejante tem seis pontas. Em geral, é feita de cristal e iluminada por dentro por meio de uma lâmpada. No centro, pode haver uma letra G, isto é, o Grande Geômetra, ou a letra J, de Jeová. Essas letras, às vezes, são substituídas pelo ouroboros – uma cobra mordendo a própria cauda, símbolo da inteligência suprema e eterna.

O simbolismo da Estrela Flamejante evoca o Sol ou o Fogo Sagrado – reflexos da Luz de Deus. É um emblema da unidade do espírito com a matéria manifestada no Universo.

A estrela de cinco pontas, por sua vez, representa o homem perfeito em seus cinco aspectos – físico, emocional, mental, intuitivo e espiritual.

A estrela de sete pontas evoca o misticismo do número sete: as sete cores do arco-íris, as sete notas musicais, os sete estados de consciência do homem, os sete raios cósmicos etc.

A Corda de 81 Nós

Em torno da Loja, é colocado um cordão com nós simples feitos de espaço em espaço. O cordão é feito de muitos fios que, isolados, são frágeis, mas que, unidos, são extremamente resistentes. É o símbolo da "união faz a força". O cordão também representa a Cadeia de União. Os nós feitos em espaços regulares têm um duplo sentido. Significam os elos da cadeia, isto é, os próprios maçons que unem-se sem fundirem-se, nem perderem a individualidade. Seu outro sentido tem a ver com as dificuldades da vida, lembrando ao maçom que ele deve esperar pelo pior e que, para conquistar alguma coisa, deve desatar o nó. O número de nós do cordão – 81 – remete ao simbolismo do número 9. Os 81 nós são o resultado da multiplicação do 9, o símbolo da imortalidade, da regeneração e da vida eterna, por ele mesmo.

As Colunas

Os atuais templos maçônicos têm 12 colunas que correspondem aos signos do zodíaco. São a base mental da Loja. Três das principais colunas são representadas pelo Venerável Mestre da Loja e pelo Primeiro e Segundo Vigilantes. Há outra coluna totalmente invisível que se eleva do altar, ou Ara, até o Grande Arquiteto do Universo. Cada Dignidade e Oficiais da Loja, bem como cada Mestre, Companheiro e Aprendiz representam uma coluna.

As colunas colocadas no pórtico da Loja são as Colunas de Salomão. São as famosas Jaquim e Boaz, construídas pelo arquiteto do Templo de Salomão Hiram Abiff e descritas na Bíblia, no Livro I Reis 7:15 a 22.

A Abóbada Azulada

O teto de uma Loja maçônica representa o céu com estrelas, nuvens e o Sol. A abóbada é sustentada pelas colunas representadas pelos maçons. Portanto, simbolicamente, o iniciado sustenta o Universo mental.

A Luz

Um dos símbolos mais profundos e essenciais da Maçonaria é a luz. Em muitos momentos, a luz assume uma função iniciática. Sobre a mesa do Venerável, há três luzes representando ciência, virtude e verdade. As do Primeiro Vigilante, constância, estudo e progresso; as do Segundo Vigilante, liberdade, igualdade e fraternidade.

Os juramentos são feitos diante de uma luz que simboliza a presença visível do Grande Arquiteto do Universo. Assim, o candidato está prestando juramento não perante os homens, mas perante Deus. Esse simbolismo lembra também que cada maçom é uma luz isolada e que a soma das muitas luzes formam o Sol que ilumina e aquece toda a humanidade.

LOCAIS MAÇÔNICOS

A Maçonaria, ao estender-se por todo o mundo ocidental, deixou suas marcas não só no tempo, isto é, na História, mas igualmente no espaço. Em toda a Europa, nas Américas e até mesmo no Brasil, a presença da Ordem está destacada em monumentos, edifícios e na arte.

Há desde os mais óbvios, como o Salão dos Maçons, em Londres, ou a cidade de Washington, nos Estados Unidos, repleta de símbolos maçônicos espalhados por suas ruas, até os mais discretos, como os encontrados pintados nas fachadas das casas de Paraty, no Rio de Janeiro. Neste capítulo, visitamos alguns locais onde a Maçonaria se destaca na paisagem.

Quinta da Regaleira

Na cidade de Sintra, em Portugal, há um dos mais belos edifícios maçônicos da Europa, a Quinta da Regaleira.

O construtor da Quinta, Antonio Augusto de Carvalho Monteiro, cercou o palácio com jardins, lagos, grutas e enigmáticas construções que evocam a tradição maçônica. Monteiro nasceu no Rio de Janeiro, em 1848, filho de pais portugueses. Cedo herdou uma imensa fortuna amealhada pelo pai, comerciante de pedras preciosas e outros artigos brasileiros, e retornou a Portugal. Bibliófilo, colecionador, considerado ao mesmo tempo excêntrico e altruísta, Monteiro era também dedicado maçom. Tanto que, como a Quinta de Regaleira, o túmulo de Monteiro, em Lisboa, está repleto da simbologia maçônica.

Os jardins da Quinta conduzem o visitante a uma trilha que remete às iniciações maçônicas. Há evocações à mitologia, à missão templária da Ordem de Cristo, a grandes místicos e taumaturgos, aos enigmas da Maçonaria e da alquimia. Uma enigmática torre invertida, o "Poço Iniciático", tem cerca de 27 metros de profundidade. O poço é assim chamado porque era usado em rituais de iniciação à Maçonaria. Uma galeria subterrânea com uma escadaria em espiral, sustentada por colunas esculpidas, desce até ao fundo do poço. A escadaria é constituída por nove patamares separados por lances de 15 degraus cada um. O simbolismo dos nove patamares remete ao conceito Rosacruz do Cosmos. A simbologia do local relaciona-se à crença de que a terra é o útero materno de onde vem a vida, mas também é o túmulo para o qual voltará.

Outro local de interesse na Quinta da Regaleira é o Patamar dos Deuses, onde estão alinhadas nove estátuas de divindades clássicas. Há, ainda, na Quinta, várias grutas, labirintos, fontes, capela, prisões, lagos, cascatas e uma estufa botânica, dedicada à deusa Flora.

Símbolos Maçônicos no Caminho do Ouro

Qualquer um que visite as cidades históricas de Minas vai ouvir histórias sobre a influência da Maçonaria na vida daquela província nos velhos tempos do ouro, entalhados nos pórticos das igrejas, insinuados nas cores das casas e dos edifícios, inferidos nos detalhes arquitetônicos.

O Caminho do Ouro, a rota que ligava Minas Gerais aos portos do Rio de Janeiro e de Paraty, por meio da qual o ouro era escoado, ficou marcado em toda a extensão pela presença de maçons. São sinais deixados para que os "irmãos" maçons se reconhecessem.

Há diversos deles na região das antigas minas de ouro e diamantes, entre as cidades de São João Del Rei e Ouro Preto. Aqui, floresceu a melhor representação da escola barroca no Brasil, com artistas do vulto do mestre Athayde, o maior pintor do período, e de Antônio Francisco Lisboa, o Aleijadinho – este último, sabidamente maçom. De fato, os sinais maçônicos estão presentes nas esculturas e nos relevos de Aleijadinho. A disposição dos característicos três anjos que figuram nos altares e pórticos assinados pelo mestre remeteriam ao triângulo maçom. Suas notórias esculturas dos profetas, em Congonhas do Campo, também trazem sinais que remetem aos graus de instrução maçônica.

De acordo com Antonio Carlos França, maçom do Grau 32, no velho porto de Paraty, os símbolos maçônicos assumem característica própria. Eles destacam-se nos casarios da cidade, nas "colunetas em número de três formando um triângulo nos cruzamentos das ruas do centro histórico, nos mosaicos representando a corda de 81 nós, na predominância da cor azul e branca trazidas da Maçonaria francesa e seus anseios republicanos", escreve o maçom no artigo *Histórias e Crendices Sobre os Maçons nos Caminhos e Descaminhos do Ouro*.

Salão dos Maçons

O Salão dos Maçons, em Londres, é um imponente monumento à Maçonaria. Local de encontro de membros da ordem desde 1775, o salão como o conhecemos hoje foi construído entre 1927 e 1933 como um memorial aos maçons que morreram na Primeira Guerra Mundial.

Tanto que, inicialmente, o edifício era chamado de Memorial da Paz Maçônica. Contudo, quando iniciou a Segunda Guerra, o Salão recebeu o nome que conserva até hoje. O prédio contém uma série de pontos de destaque. O Grande Templo, ponto central do Salão é o local de encontro da Grande Loja, do Grande Capítulo, bem como de várias Lojas Provinciais. Além do Grande Templo, há mais 23 templos menores dentro do prédio. Nenhum dos templos é igual ao outro. No Salão dos Maçons funcionam escritórios administrativos, salas usadas por centenas de Lojas maçônicas que fazem seus encontros no prédio, salas de reunião, oficinas e até mesmo uma alfaiataria. As quatro maiores entidades de caridade maçônicas da Inglaterra – a Grande Caridade dos Franco-Maçons, o Real Truste Maçônico para Moças e Rapazes, a Real Instituição Benevolente Maçônica e o Fundo Samaritano Maçom – também têm sede no Salão dos Maçons. Grande parte da renda destinada à manutenção desse monumento à Arte Real vem do aluguel do espaço. De fato, o Salão é palco de concertos e eventos musicais devido à sua ótima acústica. O prédio também foi cenário de diversos filmes de TV e longa-metragem. Entre eles, a comédia Johnny English, de 2003, estrelada por Rowan "Mr. Bean" Atkinson e John Malkovich.

Washington, D.C.

Uma cidade repleta de símbolos maçônicos é a capital dos Estados Unidos, Washington, D.C. Referências à Maçonaria aparecem em profusão a qualquer um que conheça o alfabeto dos símbolos – especialmente os adotados pela Ordem.

O próprio lema da cidade, *Justitia Omnibus* (Justiça para todos), reflete o ideal maçônico projetado na nova nação pelos seus fundadores.

Washington foi criada logo após a Revolução Americana. Quando os maçons que fundaram o país pensaram em construir uma capital nacional, escolheram uma área entre os estados de Virginia e Maryland, onde foi constituído o Condado de Washington, que também incluía a cidade de Georgetown, e a cidade de Washington, isto é, a nova capital. Em 1871, um Ato do Congresso fundiu essas localidades em um único município, que foi rebatizado de District of Columbia, ou "Distrito de Colúmbia", o nome pelo qual os patriotas chamavam os Estados Unidos em clara referência a Cristóvão Colombo. O nome oficial da cidade não é, portanto, Washington, mas District of Columbia. Mas o nome original, dado em homenagem ao maçom que veio a ser o primeiro presidente do país e "Pai da Nação", nunca deixou de ser usado. Por isso o "apelido" da cidade, Washington, é sempre seguido das iniciais do seu nome oficial, D. C.

A ideia de construir uma capital federal surgiu em torno de 1788, 12 anos, portanto, depois da Independência. Contudo, apesar de Washington ter sido planejada, o desenvolvimento da cidade foi lento. Em 1870, Washington ainda não tinha saneamento básico e muitas das suas ruas não eram pavimentadas. As condições da cidade eram tão precárias que alguns congressistas sugeriram mudar a capital para outro lugar. Foi só em 1900 que o Congresso aprovou e elaborou um plano de embelezamento para a capital. Os arquitetos que participaram do projeto seguiram o plano original, criado pelo maçom Pierre (ou Peter) Charles L'Enfant, comissionado por George Washington.

O Capitólio

Para os americanos, o Capitólio é o símbolo do povo e do governo dos Estados Unidos, o centro onde se concentra a legislação da nação – a própria imagem da democracia daquele país. Além de sediar o governo, o Capitólio abriga uma importante coleção de arte americana. Foi no Capitólio que George Washington colocou a pedra de fundação desse poderoso ícone da capital americana. Uma das peculiaridades do edifício é o fato de estar repleto de símbolos maçônicos, Ordem à qual pertenciam os principais fundadores da nação americana.

A construção do edifício começou em 1793. Em novembro de 1800, o Congresso reuniu-se na primeira ala concluída – a norte. Em meados do século XIX, com o crescimento dos Estados Unidos, o Capitólio foi aumentado para poder abarcar o Congresso que havia se tornado maior.

Memorial Maçônico a George Washington

A arquitetura desse prédio assemelha-se a um templo. Aqui, há uma exibição sobre George Washington, com itens pessoais como sua Bíblia, cachos de cabelo e itens usados no funeral do Pai da

Nação. Há também uma exposição sobre a Franco-Maçonaria e uma grande biblioteca maçônica. O edifício foi construído na década de 1920 como um monumento à Maçonaria, que na época contava com mais de dois milhões de membros só nos Estados Unidos. A instalação é mantida com as contribuições de maçons e simpatizantes. Conforme informa o próprio site do memorial, mais que um monumento à Maçonaria, trata-se de "um memorial para honrar e perpetuar a memória, o caráter e as virtudes do homem que melhor exemplifica o que os maçons são e deveriam ser, o irmão George Washington".

A Casa do Templo (Sede do Rito Escocês)

Esse prédio, que já foi votado como um dos mais belos do mundo, abre à visitação pública de segunda a quinta, das 10 às 16 horas, com um tour guiado. Serve de sede de trabalho para o Grão-Comandante Soberano e seus auxiliares, mas também abriga um museu e uma biblioteca maçônica. Como se pode imaginar, o edifício está repleto de referências maçônicas, como suas 33 colunas e as 33 cadeiras cerimoniais – o número de graus do Rito Escocês.

A Capela de Rosslyn, Escócia

Sob a tutela do rei da Escócia, por meio dos condes de Saint Clair, já no século XV, os templários, seus ritos e costumes permeavam completamente as ordens e guildas de construtores da Escócia.

O juiz hereditário dessas organizações profissionais, o Conde William Saint Clair, erigiu uma nova cidade para os seus pedreiros (ou maçons), que eram trazidos com suas crenças e práticas de toda Europa para executar as construções de Saint Clair. Entre as obras erigidas pela família de patronos dos maçons escoceses, a mais bela e enigmática é a capela de Rosslyn, perto de Edimburgo, na Escócia.

Coberta de relevos reproduzindo símbolos templários e maçônicos, a Capela Rosslyn foi apelidada de "Capela dos Códigos". Mas o que significam tantos ícones, tantas evocações projetando-se em relevos nas paredes e colunas, escondidos nos olhos das estátuas, cristalizados na geometria da capela? Ninguém sabe. Criptógrafos modernos nunca foram capazes de entender o código, mesmo apesar de a curadoria da capela ter oferecido uma generosa recompensa para qualquer um que decifrasse a mensagem.

A planta da capela obedece a fundamentos herméticos. Um corte transversal do edifício revela que foi projetado com base no octógono, hexágono e triângulos contidos no círculo – alguns dos fundamentos sagrados da geometria e alquimia contemporâneas. Um estudo sobre as formas dispostas por Giordano Bruno nos seus trabalhos herméticos repete o plano da arquitetura de Rosslyn e é outra indicação das influências da escrita oriental e gnóstica na criação da capela.

No teto da capela há centenas de blocos de pedra salientes, formando um estranho efeito. Cada bloco é gravado com um signo, disposto, ao que parece, aleatoriamente. O resultado é uma cifra incrível, de proporções imensuráveis.

Mas não é só o teto que é coberto por sinais misteriosos. As paredes internas são decoradas com símbolos da Maçonaria, dos templários, do judaísmo, do cristianismo, com alguns motivos islâmicos. Essa verdadeira cacofonia de elementos, à primeira vista discordantes, aparentemente, relacionam-se entre si.

A planta baixa da capela é praticamente idêntica à do Templo de Salomão. As colunas de Boaz e Jaquim, que ficavam na entrada do Templo de Salomão, também estão presentes em Rosslyn e exatamente na mesma posição que as originais. Além disso, uma imensa cruz entalhada no teto aponta exatamente para o ponto, na planta baixa, onde o Santo dos Santos – o altar mais reservado e central – era mantido no Templo de Salomão.

Muitos signos e selos templários estão entalhados na Capela Rosslyn. Há grupos de estrelas de cinco pontas, refletindo as graças maiores da Virgem Maria. Há dois irmãos num cavalo, e o Cordeiro de Deus segurando a cruz no seu estandarte. Há a cabeça de Cristo no véu de Santa Verônica, bem como no teto da capela. Sua mão está erguida em bênção.

O detalhe mais importante da capela é a Coluna do Aprendiz. Seu nome vem de uma lenda da época da construção de Rosslyn. A história diz que o mestre pedreiro encarregado da obra viajou a Roma em busca de inspiração para esculpir a coluna. Quando voltou, descobriu que seu aprendiz já tinha feito o trabalho. E não foi só isso: os relevos que ele havia entalhado no pilar eram obras-primas. A coluna tinha ficado belíssima. Mas, em vez de regozijar-se com o feito, o mestre foi tomado de uma raiva incontrolável e surrou seu aprendiz até a morte. Há uma estátua de um jovem, no interior da capela, que alguns acreditam ser o aprendiz injustiçado. A estátua tem, de fato, um ferimento no rosto, mas isso pode ter sido em consequência de algum dano que ela sofreu. Rosslyn serviu de estábulo para as tropas de Oliver Cromwell durante seu ataque ao castelo Rosslyn, em 1650, e foi atacada por uma multidão enfurecida, em 1658. A estátua poderia ter sido danificada numa dessas ocasiões.

De acordo com a lenda que envolve a Coluna do Aprendiz, depois de assassinar seu aprendiz, o mestre também esculpiu uma coluna, A Coluna do Mestre, que também enfeita a capela. Alguns acreditavam que a Coluna do Aprendiz, com sua infinidade de símbolos aparentemente desconexos, continha o Graal em seu interior, mas foi provado que não. Pesquisadores sondaram a coluna com um radar groundscan e não encontraram nada. O que permaneceu foram os boatos. A partir de então, começaram a correr rumores de que as imagens em relevo no pilar formariam um código que revelaria os segredos do Graal.

O pesquisador Niven Sinclair também realizou uma sondagem de solo da Capela Rosslyn utilizando as últimas técnicas de radar desenvolvidas para arqueologia moderna. Esse processo revelou evidências nas câmaras inferiores, provavelmente catacumbas, confirmando antigos documentos e lendas de cavaleiros St. Clair enterrados nas câmaras mortuárias debaixo do chão da capela. Os sinais de radar também detectaram refletores, o que indicava metal, provavelmente a armadura do cavaleiro enterrado. Particularmente intrigante era um grande refletor debaixo da Capela da Senhora, o qual sugeria a presença de um santuário metálico. Estudiosos acreditam que possa tratar se do santuário da Virgem Negra, que ainda marca tantos lugares santos na rota de peregrinação para Compostela.

Que tesouros templários a catacumba esconde? É outro grande mistério. Ao que parece, os mistérios que a capela guarda continuarão imperturbados por mais algum tempo. A catacumba foi selada há séculos e só poderia ser acessada por meio de escavação. No entanto, teme-se que o processo possa abalar as estruturas do edifício. Por isso, a curadoria da capela ainda não autorizou qualquer escavação que leve à catacumba.

PARTE III
A ORGANIZAÇÃO DA MAÇONARIA

AS POTÊNCIAS MAÇÔNICAS

Como vimos, a Maçonaria é governada por regulamentos e constituições, de forma que, sem considerar a Loja em que o candidato é iniciado, ele possa atingir a iluminação por meio de iniciações e ritos, por meio dos quais o maçom aprende um verdadeiro alfabeto de símbolos e apreende a Verdade que permeia o Mistério que envolve tudo no Universo.

As bases maçônicas são as *Landmarks*, as *Old Charges* e as Constituições, que regem os ritos da Ordem, encenados nas Lojas. As Lojas, por sua vez, congregam-se em Obediências ou Potências.

As Obediências são entidades que congregam as "Lojas Simbólicas" – as células onde os maçons trabalham de forma ritualística segundo a liturgia do rito que adotam. As Lojas simbólicas, também chamadas Lojas Azuis ou Lojas de São João, têm esse nome porque atribuem os graus simbólicos. Os Ritos Maçônicos são divididos em uma hierarquia de evolução chamada de Graus. Ao longo de diversas iniciações, o maçom assume diferentes graus. Ele começa como Aprendiz, isto é, o primeiro grau simbólico, e evolui até o 33º grau, "Soberano Grande Inspetor-Geral", no caso do Rito Escocês Antigo e Aceito. Como diversos outros elementos, a evolução em graus é herança das antigas guildas de ofícios medievais. Os graus, por sua vez, dividem-se em graus simbólicos e filosóficos, ou Ordens.

A ORGANIZAÇÃO DA MAÇONARIA

Os graus simbólicos são os pontos congruentes dos ritos maçônicos, pois, sem levar em consideração a Obediência Maçônica seguida por uma determinada Loja, as iniciações e os símbolos transmitidos são muito semelhantes. Os graus simbólicos são, assim, a característica comum dos 117 ritos da Maçonaria, uma vez que todos eles reconhecem esses três primeiros graus. A partir do quarto grau, há diferenças de um rito para outro.

Os Graus Simbólicos

1° GRAU – APRENDIZ

O grau do Aprendiz ensina ao candidato que, acima de tudo, deve-se saber aprender. Aqui, o maçom aprende as funções de cada um no templo ao mesmo tempo em que busca desenvolver suas virtudes e eliminar os vícios. Durante o período em que passa como aprendiz, o maçom não tem permissão para falar na Loja.

2° GRAU – COMPANHEIRO

Nesse grau, o maçom deve exercitar a reflexão sobre a importância do trabalho na formação do indivíduo e da humanidade. As atribuições do Companheiro variam conforme o rito do qual o maçom participa. No Grau de Companheiro, o maçom absorve grande conhecimento de símbolos.

3° GRAU – MESTRE

É o grau da plenitude maçônica, o mais elevado das Lojas Simbólicas. O Mestre desenvolveu sólidos conhecimentos da história e dos objetivos maçônicos.

Potências Maçônicas

A partir da promulgação da primeira Constituição Maçônica, em 1723, elaborada pelo reverendo James Anderson por determinação da Grande Loja de Londres, a Maçonaria passou a adotar uma forma de organização política que conserva daí por diante.

As Lojas maçônicas adotam dois sistemas de organização política, chamadas de Potências ou Obediências: Grande Oriente e Grandes Lojas. O Grande Oriente são Federações de Lojas ou de ritos em que não há imposição de um rito específico. A única exigência é que o rito seja reconhecido pelo Grande Oriente. A estrutura de poder dos Grandes Orientes é semelhante àquela existente no "mundo profano".

De acordo com o portal da Grande Loja Unida Sul-Americana (GLUSA), "o Sistema Obediencial Grande Oriente compreende as Potências ou Obediências Maçônicas Simbólicas constituídas e organizadas à forma de governo do estado democrático em que 'todo o poder emana do povo e em seu nome será exercido', tendo Poder Executivo, exercido por um Grão-Mestre, Poder Legislativo, representado por uma assembleia constituída de representantes das Lojas jurisdicionadas, e o Poder Judiciário, todos 'distintos e harmônicos entre si'".

Uma Grande Loja é uma confederação composta de, pelo menos, três Lojas maçônicas que trabalham o mesmo rito maçônico. Assim, nas Grandes Lojas, normalmente, os ritos são unificados. Quando isso não acontece, há um órgão dominante que reconhece as Lojas e que as autoriza a funcionar, pois, sob uma Grande Loja, as Lojas só podem funcionar com sua autorização.

As Grandes Lojas englobam as Potências ou Obediências Maçônicas Simbólicas cujas constituições moldam-se na forma de organização política adotada pela Maçonaria inglesa. O governo da fraternidade nas Grandes Lojas é confiado a um grão-mestre e os poderes Legislativo, Administrativo e Litúrgico são administrados por uma Grande Loja ou Assembleia Geral da Fraternidade constituída pelos Veneráveis e Vigilantes das Lojas a elas jurisdicionadas.

De forma geral, as Grandes Lojas recebem reconhecimento da Grande Loja Unida da Inglaterra, e os Grandes Orientes são reconhecidos pelo Grande Oriente da França. No Brasil, além do Grande Oriente do Brasil (GOB), soberano e reconhecido pela Grande Loja Unida da Inglaterra, e as Grandes Lojas estaduais e Grande Oriente independentes estaduais, há também Obediências soberanas e que não prestam obediência ao GOB. Com efeito, há no Brasil mais de cinquenta obediências regulares, gozando soberania e independência em sua base territorial, sem que isso implique num completo desregramento.

Há ainda, na estrutura de organização da Maçonaria, Ordens, que, quase sempre, são organizações maçônicas multinacionais, isto é, que têm sob a sua égide Lojas em vários países.

Os maçons, suas Lojas e sua Obediência estão sujeitos a um conjunto de deveres chamados de regularidade maçônica. Essas regularidades têm três aspectos principais:

Regularidade de Origem: para ter sua origem reconhecida como regular, um Grande Oriente ou Grande Loja precisa ter sua origem reconhecida por outro Grande Oriente ou Grande Loja regular junto às outras Potências.

Reconhecimento: para que uma Obediência seja regular, ela deve ser reconhecida por outras potências depois de um tempo de observação. Caso a Obediência em questão não adquira ou mesmo perca o reconhecimento, ela deixa de ser regular.

Respeito às regras antigas: um Grande Oriente ou Grande Loja tem a Constituição de Anderson como principal regra a seguir. Há, porém, outros cinco pontos fundamentais a serem observados:

• Total respeito aos antigos deveres, reunidos nas *Landmarks*;

• A Obediência só pode aceitar homens livres, respeitáveis e de bons costumes que comprometam-se a viver o ideal de Liberdade, Igualdade e Fraternidade;

• Ter como objetivo o aperfeiçoamento do Homem, e, por conseguinte, de toda a Humanidade;

• Deve exigir que seus membros encenem os rituais maçônicos e iniciações como modo de acesso à Verdade;

• A Obediência deve promover entre seus membros o respeito às opiniões e crenças de todos, proibindo qualquer discussão e proselitismo religioso ou político em suas Lojas.

O Grande Oriente do Brasil

Apesar de a Maçonaria ter começado oficialmente no Brasil em 1797 com a Loja Cavaleiros da Luz, sua primeira Obediência, o Grande Oriente Brasileiro (G.O.B.) só foi criado em 1822 por três Lojas do Rio de Janeiro - a Comércio e Artes na Idade do Ouro, a União e Tranquilidade e a Esperança de Niterói.

Os primeiros mandatários da nova Potência foram José Bonifácio de Andrada e Silva, ministro do Reino e de Estrangeiros e Joaquim Gonçalves Ledo.

O Grande Oriente Brasileiro teve papel fundamental na Independência do Brasil. Apesar de Dom Pedro I também ter sido iniciado na Ordem, diante da rivalidade política entre os grupos de José Bonifácio e de Gonçalves Ledo, o então príncipe regente e futuro imperador suspendeu os trabalhos do Grande Oriente logo depois da declaração da independência, em 25 de outubro de 1822. Foi apenas com a abdicação de D. Pedro I, em 7 de abril de 1831, que a Potência foi reinstalada, agora com o nome de Grande Oriente do Brasil. Ativo desde então e contando com Lojas em todas as províncias, o Grande Oriente do Brasil continuou a influenciar a história do País.

Depois de conquistada a independência, o GOB lutou pela libertação dos escravos em busca de promover a liberdade, a igualdade e a fraternidade entre os homens. Em 1850, o maçom graduado e membro do Supremo Conselho do Grau 33 Eusébio de Queiroz fez passar a lei que leva seu nome, extinguindo o tráfico de escravos. Pouco mais de duas décadas depois, em 1871, o Visconde do Rio Branco, chefe de Gabinete Ministerial e Grão-Mestre do Grande Oriente do Brasil, fez aprovar a Lei do Ventre Livre, que declarava livre as crianças nascidas de escravas daquela data em diante.

Conquistada a abolição da escravatura, as Lojas maçônicas sob o Grande Oriente do Brasil passaram a lutar pelo fim da monarquia e pela instauração da república. Com efeito, a figura que mais se destacou na implantação da república foi um maçom: Marechal Deodoro da Fonseca, que viria a ser Grão-Mestre do Grande Oriente do Brasil.

A ORGANIZAÇÃO DA MAÇONARIA

Durante a República Velha, como são chamados os primeiros quarenta anos da república brasileira, o Grande Oriente do Brasil continuou a influenciar a evolução política nacional. Nesse período, houve vários presidentes maçons.

Em 1927, uma cisão originou as Grandes Lojas Estaduais brasileiras, o que enfraqueceu momentaneamente o Grande Oriente do Brasil. Contudo, a mais antiga Potência maçônica do País recuperou-se. Atualmente, ela congrega cerca de duas mil Lojas, com cerca de 62 mil obreiros ativos. Reconhecido por mais de cem Obediências regulares do mundo, o Grande Oriente do Brasil é a maior Obediência Maçônica do mundo latino e reconhecida como regular e legítima pela Grande Loja Unida da Inglaterra, de acordo com os termos do Tratado de 1935.

A Organização das Grandes Lojas
Quando a Grande Loja de Londres, chamada de Mãe do Mundo, estabeleceu-se, em 1717, seus membros registraram as prerrogativas para a organização de uma Grande Loja.

Essa instituição maçônica é um tipo de Obediência, que rege Lojas que praticam o mesmo rito. As Lojas que funcionam sob uma Grande Loja são subordinadas a ela e dela recebem garantias, ou permissão, para operarem. Para que ela venha a existir, é necessário, portanto, que já existam Lojas que detenham garantias legais de uma Grande Loja trabalhando com o mesmo rito e que se reúnem. Desse modo, as Lojas que praticam o mesmo rito estabelecem uma Grande Loja com autoridade maçônica reconhecida por suas Grandes Lojas irmãs.

Depois da formalização do processo, as Lojas que agora estão subordinadas ao novo organismo dele recebem garantias e devolvem as que receberam da Grande Loja sob a qual funcionavam até então.

Alguns dos maiores autores maçons a discutir as leis e a organização maçônica, como Frederick Dalcho e Albert Mackey, discordam sobre o número mínimo de Lojas necessárias para estabelecer-se uma Grande Loja. Dalcho sustenta que, para tanto, são necessárias, pelo menos, cinco Lojas. Contudo, a própria Grande Loja Mãe do Mundo, a que marcou o advento da moderna Maçonaria, foi estabelecida pela união de quatro Lojas. Nos Estados Unidos, ao longo do século XIX, todas as Grandes Lojas foram fundadas pela reunião de, pelo menos, quatro Lojas. Há, porém, uma exceção que acabou tendo um efeito determinante na constituição da regra para a organização de uma Grande Loja. No Texas, a instituição foi formada, em 1837, pela união de apenas três Lojas. A Grande Loja assim instituída foi prontamente reconhecida como regular por todas as suas Grandes Lojas irmãs e resolveu, de uma vez por todas, a questão do número mínimo de Lojas para a fundação de uma potência dessa natureza, estabelecendo que três Lojas subordinadas são suficientes para tanto.

Os Oficiais da Grande Loja

Em 1721, foram aprovados 39 artigos para o governo da confraria. O 12º regia os Oficiais das Grandes Lojas. "A Grande Loja consiste e é formada por Mestres e Guardiões de todas as Lojas regulares particulares sob registro, com o Grão-Mestre como presidente, seu Deputado à sua esquerda e os Grandes Guardiões em seus lugares devidos".

Logo depois da constituição da Grande Loja de Londres, decidiu-se que os antigos Grão-Mestres e deputados passariam a ser admitidos como membros da Grande Loja. Foi também decretado que a Grande Loja deveria se constituir do Grão-Mestre em exercício, além de todos os antigos Grão-Mestres, o Grande Tesoureiro, o Secretário, o Portador da Espada, o Mestre, os Guardiões e de um número de assistentes da Loja do Grande Administrador – além de todas as Lojas regulares a ela subordinadas.

Na Estrutura da Grande Loja, seus oficiais são divididos em "grandes" e "subordinados". Os grandes, ou essenciais, como também são chamados, são vitais para a composição de uma Grande Loja. Sua importância é atestada pelo fato de existirem desde os primórdios da Maçonaria.

A ORGANIZAÇÃO DA MAÇONARIA

O Grão-Mestre

O Grão-Mestre preside a instituição maçônica. Sua figura existe desde o início da Ordem. O escritor maçom William Preston (1742 – 1818) é uma importante referência nos estudos da fraternidade. Preston atesta que, nos primórdios da Maçonaria, com a Maçonaria operativa da Idade Média, o Grão-Mestre era eleito por uma Assembleia Geral. Essa assembleia era formada, escreve Preston, "por todos os membros que pertenciam à fraternidade em sua totalidade e dentro de um prazo proveniente poderiam participar, uma ou duas vezes por ano, sob os auspícios de um líder geral que era eleito e instalado em um desses encontros; e que pelo prazo definido era homenageado como o único governador de toda a instituição".

Por conta do destaque de sua posição, o Grão-Mestre detém diversas prerrogativas:

1 – Ele tem o direito de convocar a Grande Loja quando lhe aprouver e de presidir sobre suas deliberações. Nas decisões de todas as questões tomadas pela Grande Loja, seu voto vale por dois. Contudo, há um regulamento de 1721 para o caso de o Grão-Mestre abusar desta prerrogativa. Se isso acontecer, ele deve "ser tratado de forma e maneira a ser concordada sob um novo regulamento".

2 – O Grão-Mestre tem o poder de conceder dispensas, isto é, a isenção da observação de alguma lei ou obrigação. É uma das prerrogativas mais importantes do cargo, uma vez que, em determinados casos, anula uma lei ou obrigação. Na Maçonaria, ninguém tem autoridade para conceder essa isenção, exceto o Grão-Mestre. Contudo, mesmo ele pode apenas usar dessa prerrogativa em sete circunstâncias específicas.

3 – A terceira prerrogativa do Grão-Mestre é a visitação, ou seja, ele tem o direito de visitar qualquer Loja da sua jurisdição no momento em que desejar e lá presidir. É obrigação do Mestre oferecer ao Grão-Mestre sua cadeira e seu martelo – símbolos de sua autoridade. Com efeito, o Grão-Mestre dos maçons não pode ficar sujeito ao mestre de uma Loja subordinada.

4 – Outra prerrogativa do Grão-Mestre, de acordo com os antigos regulamentos, é a nomeação do seu Deputado e dos Guardiões. Nos Estados Unidos, ainda no século XIX, o Grão-Mestre perdeu essa prerrogativa e pode apenas escolher seu Deputado.

5 – O último poder do Grão-Mestre é o de formar maçons imediatamente, isto é, ele pode iniciar, aprovar e levantar candidatos em uma Loja de emergência ou, como também é chamada, Loja ocasional, especialmente convocada por ele, como aconteceu com Dom Pedro I, em sua iniciação maçônica.

O Deputado Grão-Mestre

Pode-se dizer, usando linguagem profana, que o Deputado Grão-Mestre é o vice-presidente de uma Grande Loja. Na ausência do Grão-Mestre, seu Deputado assume, portanto, todas as suas prerrogativas. O cargo não surgiu imediatamente após a fundação da Grande Loja de Londres, mas quatro anos depois, em 1721. Na verdade, a necessidade da existência desse oficial surgiu porque os grão-mestres de origem nobre não deviam estar em atividade de simples confraria, isto é, aquela posição depreciava sua dignidade – mesmo sendo Grão-Mestre dos maçons. Não pode haver mais de um Deputado Grão-Mestre por jurisdição.

Os Grandes Guardiões

Os Grandes Guardiões sênior e júnior são nomeados pelo Grão-Mestre, na Inglaterra, e pela Grande Loja, nos Estados Unidos. Sua obrigação é acompanhar o Grão-Mestre em suas visitas e assumir posições dos Guardiões das Lojas visitadas.

O Grande Tesoureiro

O ofício do Grande Tesoureiro foi estabelecido em 1724. Suas funções são as mesmas dos tesoureiros de outras instituições, isto é, gerir os recursos financeiros da organização em questão. Na Maçonaria, recomenda-se confiar essa posição a um "irmão de boa substância terrena", cujas posses o colocam acima da tentação de administrar em proveito próprio. Nos primeiros tempos da

Maçonaria Especulativa, o cargo de Tesoureiro era o único eletivo. Os outros eram todos nomeados.

O Grande Secretário

É um dos mais importantes ofícios de uma Grande Loja e deve sempre ser ocupado por um irmão de boa formação cultural e inteligência comprovada. Essa posição foi instituída na Grande Loja de Londres em 1723, durante o grão-mestrado do duque de Wharton. Além de registrar os acontecimentos da Grande Loja, o Grande Secretário é responsável por sua correspondência. É ele quem recebe e encaminha petições maçônicas ao Grão-Mestre ou à Grande Loja.

O Grande Capelão

O ofício foi estabelecido em 1775 pela Grande Loja de Londres. O Grande Capelão tem responsabilidade de ler as preces e os trechos sacros dos rituais em consagrações, funerais, dedicações e outros. O Grande Capelão não tem autoridade maçônica de fato, embora possua uma cadeira na Grande Loja e tenha direito de voto.

Os Grandes Diáconos

Essa posição é relativamente moderna, uma vez que não há referências a ela nas primeiras constituições maçônicas. São assistentes particulares para o Grão-Mestre e o Guardião Sênior na administração dos assuntos da Loja. São encontrados em todas as Grandes Lojas do Rito de Iorque e são normalmente nomeados, o sênior, pelo Grão-Mestre e, o júnior, pelo Grande Guardião Sênior.

O Grande Marechal

O Grande Marechal existe desde tempos remotos. Sua insígnia é um bastão azul de ponta dourada e ele é, quase sempre, nomeado pelo Grão-Mestre. Sua obrigação é proclamar os grandes oficiais em suas instalações.

Os Grandes Administradores

A primeira menção feita sobre um Administrador está nos Antigos Regulamentos adotados pela Grande Loja de Londres, em 1721. Antes disso, para a preparação da Grande Festa, os Grandes

Guardiões recebiam auxílio de certo número de Administradores nomeados pelo Grão-Mestre ou por seu Deputado. A partir desse mesmo ano, os Grandes Administradores, em número de 12, passaram a figurar entre os oficiais das Grandes Lojas.

O Grande Porta-Espada

O Grande Porta-Espada tem sua origem em um antigo costume medieval, no qual todos os grandes dignitários deveriam ter uma espada carregada diante deles como insígnia da sua dignidade. O costume é preservado até hoje na Maçonaria. O Grão-Mestre tem uma espada carregada diante dele em todas as procissões públicas por um Oficial especialmente indicado para esse propósito. Essa posição foi inaugurada em 1731, quando o Grão-Mestre da Grande Loja de Londres apresentou para a instituição a espada de Gustavo Adolfo, rei da Suécia, que havia sido utilizada em combate. O Grão-Mestre ordenou que aquela arma fosse usada como espada de estado, isto é, a espada que demonstra a dignidade de seu dono. Como resultado dessa doação, foi instituído o ofício de Grande Porta-Espada. Algumas Lojas alteraram, porém, o título para Grande Heráldico.

O Grande Porteiro

O ofício de Grande Porteiro existe desde os primórdios da organização de uma Grande Loja. Por conta da natureza de suas obrigações – a de vigiar a entrada da Loja –, o Grande Porteiro não participa das discussões, nem testemunha os procedimentos da Grande Loja. O Grande Porteiro é indicado tanto pelo Grão-Mestre como pela Grande Loja.

OS RITOS MAÇÔNICOS

Os ensinamentos da Ordem Maçônica são calcados num mecanismo de transmissão profundamente enraizado nos ritos. Na verdade, cada "linha" ou "tendência" maçônica – isto é, a forma como o "caminho" maçônico é interpretado e aplicado – é até mesmo chamada de "rito".

Existem, hoje, cerca de 117 ritos maçônicos, cada qual com sua característica própria. Todos, porém, seguem um alicerce comum, compartilhando um mesmo cânone de preceitos e conhecimentos. Hoje, os mais difundidos em todo o mundo – inclusive no Brasil – são o de York, o Escocês Antigo e Aceito, o rito Francês ou Moderno. A seguir, um pouco sobre os ritos mais conhecidos:

Alexandrino – o nome remete à cidade de Alexandria, fundada no Egito por Alexandre, o Grande. Sem dúvida, o maior centro de produção de conhecimento da Antiguidade, Alexandria fundiu em si a cultura helênica e a antiga cultura egípcia. O ponto alto desses conhecimentos era representado mais profundamente pelos "Mistérios": o egípcio Mistério de Ísis e o grego Mistério de Elêusis. O atual Rito Alexandrino busca reunir esses antigos Mistérios, adaptando-os à Maçonaria.

Andrógino – o autor maçom Rizzardo da Camino atesta que esse rito é uma "pseudoMaçonaria", ou seja, uma falsa maçonaria, diferente da tradicional. Não tem a ver com a Maçonaria de Adoção, mas é igualmente composta de homens e mulheres "que adotam os princípios universais maçônicos". Antigos Maçons Livres e Aceitos da Inglaterra – esse tradicional rito, gestado na Inglaterra, espalhou-se rapidamente por todo o Reino Unido e toda a Europa, exceto em países papistas. Fundado em 1717, inaugurou a época moderna da Maçonaria. Possui sete graus divididos em duas classes.

Antigo Reformado – o Rito, fundado no Rio de Janeiro em 2 de junho de 1822, tinha finalidades políticas visando à Independência do Brasil. Seus graus mais elevados eram o de Archote-Rei, ocupado pelo príncipe Dom Pedro I, e o de Lugar-Tenente, assumido pelo criador do rito, José Bonifácio de Andrada e Silva. Muitas das figuras-chave da independência faziam parte da Ordem. No entanto, ela durou pouco, dissolvendo-se depois de ter cumprido seus objetivos.

Astrológico – trata-se de um Rito inspirado em Zoroastro e sua doutrina. Pouco conhecido, também é chamado de Rito das Emanações Celestiais ou Rito das Inteligências Eternas.

Azul ou Simbólico – esse Rito compõe-se apenas dos três primeiros graus universais e fundamentais da Ordem: Aprendiz, Companheiro e Mestre.

Rito dos Iluminados Teósofos – fundado em Londres, por Benedito Chastanier em 1767, o Rito de seis graus buscava propagar a teosofia cristã.

Cabalístico – os fundamentos desse rito englobam conhecimentos vindos da alquimia, magia e cabala.

Clerical – o Rito Clerical é um dos momentos em que a Maçonaria atraiu membros do clero, que certamente discordavam das orientações do papa. Fundada na segunda metade do século XVIII pelo judeu português Martinez de Pascally. Era um rito filosófico clerical e ultrajesuítico[1], fundamentado na cabala, alquimia e teosofia.

---

1. No século XVIII, foram fundados alguns ritos maçônicos de cunho jesuítico, apesar da perseguição da Igreja à Maçonaria. O mais famoso desses ritos é o dos Iluminados da Baviera, os Illuminati, fundado por Adam Weishaut, que estudou em colégio jesuíta.

Escocês Retificado – também chamado de Rito Templário ou Rito de Willermoz, por conta de ter sido criado por Jean Baptiste de Willermoz, tem como principal prerrogativa trazer de volta antigas influências dos Cavaleiros Templários, especialmente do Rito da Estrita Observância Templária, e do antigo Rito de Heredom. Ao contrário do Rito Escocês Antigo e Aceito, criado nos Estados Unidos, o Rito Escocês Retificado tem sua origem na França, no início dos anos 1770.

Grão de Mostarda – esse rito diz respeito à Maçonaria Evangélica. Trata-se de uma inovação estabelecida na Maçonaria alemã em 1739. Seu objetivo era a propagação dos Evangelhos por meio da Maçonaria.

Heredom ou Rito de Perfeição – o Rito Escocês Antigo e Aceito tem sua origem no Rito de Perfeição, ou Heredom. De acordo com Rizzardo da Camino, o Rito de Heredom foi um rito jesuítico templário que buscava a perfeição, por isso, também é chamado de Rito de Perfeição. Constituía-se de 25 graus, cada qual programado para durar um determinado número místico de meses. No total, eram necessários 81 meses – o número perfeito – para se completar as iniciações.

Segundo diversos pesquisadores, o Rito de Heredom teria sido desenvolvido pelos cavaleiros templários que se refugiaram na Escócia, depois que sua Ordem foi destruída. No seu *Pequena História da Maçonaria*, o autor maçom C. W. Leadbeater afirma que "a destruição da Ordem do Templo (os cavaleiros templários) não implicou, todavia, numa completa supressão do ensino nela entesourado. Alguns cavaleiros franceses refugiaram-se na Escócia, entre seus irmãos do Templo, e nesse País suas tradições misturaram-se nalguma proporção com os antigos ritos celtas de Heredom, formando assim uma das fontes de que mais tarde desenvolveu-se o rito escocês".

Iluminados da Baviera – esse rito, mais conhecido como Illuminati, recebeu uma aura de mistério por conta de ter aparecido em romances e filmes sobre teoria da conspiração. Os rumores sustentam que a fraternidade tem exercido, ao longo de sua existência, controle sobre o curso dos acontecimentos mundiais. Há, até mesmo, autores que afirmam que os Illuminati colocaram Hitler no poder e hoje dominam as orientações empresariais, políticas e científicas. A realidade histórica, porém, não sustenta essas teses. Aliás, uma das características das teorias de conspiração é o fato de não poderem ser provadas.

Fundada em 1º de maio de 1776 por Adam Weishaupt, um obscuro professor de direito da Universidade de Ingolstadt, na Baviera (Alemanha), a sociedade secreta Antigos Visionários Iluminados da Baviera baseava-se nas fontes que seu fundador bebera. Era uma mistura de preceitos maçons, sufismo – o misticismo islâmico – e, como Weishaupt tinha sido originariamente jesuíta, dos exercícios de disciplina mental de Santo Inácio de Loyola. Outro elemento era o uso ritual do haxixe, para produzir um estado mental "iluminado". A fraternidade chegou a abrigar membros da elite alemã do século XVIII, inclusive o pilar da literatura alemã Johann Wolfgang von Goethe (1749 – 1832). Mas a sociedade secreta não sobreviveu aos seus fundadores e acabou se extinguindo ainda no século XVIII. A Ordem foi suspensa por uma série de editais publicados entre 1784 e 1787. O próprio Weishaupt foi banido e impedido de propagar suas ideias.

Os illuminati buscavam ser um bastião para desafiar o autoritarismo da Igreja. Em seu livro *Proofs of a Conspiracy: Against All the Religions and Governments of Europe, Carried on in the Secret Meetings of Freemasons, Illuminati and Reading Societies* (Provas de uma Conspiração Contra Todas as Religiões e Governos da Europa, Executados Durante as Reuniões Secretas das Sociedades dos Maçons, Illuminati e de Leitura), publicado em 1798, John Robison afirmou que os illuminati "juraram ódio ao altar e ao trono, bem como esmagar o Deus dos cristãos e extirpar todos os reis da Terra". O lema anarquista "enforcar o último clérigo com as tripas do último rei", embora não fosse forjado pelos illuminati, poderia ser usado para descrever as intenções dos seguidores de Weishaupt.

As ideias de Robison baseiam-se em um fato que teria ocorrido logo após a destituição da fraternidade, em 1784. Ainda buscando articular os Illuminati foragidos, Weishaupt teria remetido documentos a seus discípulos por meio de um enviado, o abade Lanz. Contudo, o enviado foi atingido por um raio. Ao verem o corpo vestindo o hábito, os moradores locais levaram o cadáver a uma capela ali perto, onde encontraram os comprometedores documentos revelando planos secretos para conquistar o mundo. A partir dessa informação, os illuminati passaram a ser vistos como membros de uma organização maldita.

Apesar do fim imposto à fraternidade, os illuminati não se extinguiram. De fato, quase sempre, a dissolução de uma Ordem ou fraternidade não representa o fim dos preceitos por ela cultivados. Ao contrário, normalmente, quando os detentores de um conhecimento secreto são perseguidos, seus objetivos continuam sob uma nova fraternidade. Isso aconteceu com o rito maçônico dos Iluminados da Baviera, que sobrevive até os dias de hoje.

No entanto, por causa da propaganda dirigida contra a fraternidade, os illuminati acabaram sendo vistos como articuladores de movimentos que visam a reverter a ordem mundial. Em outras palavras, os membros desse rito maçônico estariam buscando controlar o mundo.

Ironicamente, apesar de os boatos terem dado a impressão de que a Ordem é poderosa a ponto de reverter os cursos dos acontecimentos globais, quase nada se sabe sobre ela. Nos seus mais de dois séculos de existência, ninguém pôde confirmar os atos atribuídos aos illuminati. E as histórias são muitas. Uma delas dá conta de que os illuminati estariam por trás do advento do nazismo.

Em 1785, depois, portanto, da dissolução da Ordem, um dos illuminati não descoberto pelas autoridades, o professor da universidade de Leipzig Carl Frederick Bahrdt, recebeu uma carta assinada "por alguns maçons", seus "grandes admiradores". O documento continha planos para desenvolver um grupo que apoiasse com êxito uma futura união alemã, grande sonho dos nobres e políticos que desejavam construir um Estado alemão moderno.

Entusiasmado, Bahrdt recrutou antigos membros da fraternidade para levar o projeto adiante. Assim teria nascido a União Alemã, cuja fachada era a de um clube literário e de discussão. De acordo com o escritor austríaco Paul Koch, a União Alemã "semeou uma profunda inquietude entre determinadas camadas da sociedade pré-nacional alemã, que durante muito tempo atuou como um terreno propício do qual finalmente surgiu um processo de unificação política muito influenciado pelo misticismo e por certo sentido de predestinação divina". Estava aberto o caminho que levaria ao nazismo, com sua forte característica mística, a qual via Adolf Hitler como divinamente inspirado.

De fato, muitos autores afirmam que Hitler teve relação com os illuminati. Há duas teorias principais sobre o tema. Uma das teses é de que Hitler foi uma simples marionete nas mãos da organização. Em sua escalada ao poder, foi apoiado nos âmbitos político e financeiro pela fraternidade. Depois, foi aconselhado a agir como agiu, desencadeando a Segunda Guerra Mundial. Em seguida, os illuminati deixaram-no cair.

A outra versão sustenta que os illuminati teriam apoiado Hitler até ele chegar à chancelaria, mas quando ele conquistou essa posição, o Führer decidiu seguir seu próprio caminho. Para tanto, Hitler protegeu-se com sua própria organização armada, a SS, dirigida por Heinrich Himmler. De acordo com o pesquisador Paul Koch, isso explicaria o fato de Hitler ter decidido manter a guerra até o final, preferindo a destruição da Alemanha e a sua própria do que cair nas mãos dos seus antigos patrocinadores. Não podendo vingar-se pessoalmente, os illuminati teriam optado por satanizar sua imagem pública. "Dessa maneira, a Ordem advertia todos os futuros colaboradores de seus planos sobre o destino que os aguardava se um dia também lhes ocorresse traí-los", acredita Koch.

Outra história que os teóricos de conspiração sustentam é que, em seu esforço para controlar o mundo, os illuminati infiltraram-se no próprio Vaticano. Esses autores insinuam até mesmo que a Opus Dei é controlada pela organização. Antes da canonização do fundador da Opus Dei, Josémaria Escrivá, a associação Católicos pelo Direito de Decidir publicou uma nota afirmando que "a evidência atual é que o Opus exerce uma influência cada vez maior. Com sua filiação à Obra (Opus Dei), um crescente número de intelectuais, médicos, parlamentares, ministros, juízes e jornalistas dão ao Vaticano uma força poderosa e oculta que pretende impor seu código moral não somente aos católicos, mas por meio das leis e da política". Não há, porém, evidências da relação entre os illuminati e a Opus Dei. No vale-tudo das teorias de conspiração, o maior argumento continua sendo a imaginação.

Irlandês – esse rito foi criado em função de uma finalidade exclusivamente política: a de apoiar a ascensão de Eduard Stuart, em 1747. É uma compilação dos graus praticados pelos escoceses.

Magos – originado dos Rosa-Cruzes e estabelecido na Itália. O secretismo desse rito era tal que os participantes guardavam sigilo até mesmo entre si. Para tanto, seus membros compareciam às reuniões encapuzados.

Rito da Ordem do Templo – surgido em Paris, em 1806, fundamentava-se na Ordem dos Templários.

Rosacruz – surgido na Alemanha do século XVII, esse rito teve seus maiores momentos durante os séculos XVIII e XIX. Continua, porém, muito atuante. A Ordem Rosacruz define-se como uma "organização internacional místico-filosófica". Não é uma religião, nem é doutrinária ou dogmática. Trata-se, antes, de uma filosofia. Sua missão é "despertar o potencial interior do ser humano, auxiliando-o em seu desenvolvimento, em espírito de fraternidade, respeitando sua liberdade individual".

A ORGANIZAÇÃO DA MAÇONARIA

Os rosacruzes dizem que seus ensinamentos vêm do Egito Antigo, mas alguns atribuem a "fundação" do rosacrucianismo a Christian Rosenkreuz. Nascido em 1378, na fronteira da Alemanha com a Áustria, Rosenkreuz foi um viajante que cruzou o mundo em busca de conhecimento. Depois de percorrer a Alemanha, Áustria e Itália, ele dirigiu-se ao Egito, onde foi acolhido pelos irmãos da Loja Egípcia. Ali, foi admitido em todos os graus dos mistérios egípcios e, ao voltar à Europa, fundou a Ordem Rosacruz. Rosenkreuz teria morrido em 1484, aos 106 anos. No entanto, muitos discordam dessa tese. Para eles, a Ordem Rosacruz, com seu nome e símbolo – a cruz e a rosa – existe muito antes do cristianismo e de Christian Rosenkreuz. Segundo os iniciados, a cruz representa as vicissitudes da vida humana no mundo; e a rosa, a evolução do homem diante dessas transformações.

Os rosa-cruzes remontam o início da sua Ordem ao reinado do Faraó Tutmés III, que governou o Egito de 1500 a 1447 a.C. Foi ele, acredita-se, quem organizou a primeira irmandade de iniciados fundada sobre princípios e métodos semelhantes aos adotados pelo rosacricismo. Porém, o Grande Mestre da entidade seria o Faraó Aquénaton (1353 – 1336 a.C.), o fundador da primeira religião monoteísta do mundo.

O atual método e a organização de estudos da Ordem Rosacruz foram idealizados por Dr. Harvey Spencer, um empresário e filósofo norte-americano, iniciado na Ordem Rosa-Cruz em 1909, na França, que acabou renovando o movimento. A sede mundial, ou Suprema Grande Loja, é localizada hoje na Califórnia, nos Estados Unidos, e a Grande Loja, que atende todos os países de língua portuguesa, fica em Curitiba (PR).

Diz a lenda que o alemão Cristian Rosenkreutz, o "cultivador" da Ordem, retirou-se em uma caverna com tesouros e segredos, onde morreu, em 1484. Em 1604, o túmulo de Rosenkreutz foi descoberto. Os segredos escondidos teriam dado origem à Ordem Rosa-Cruz. Em 1662, a Ordem foi levada à Holanda, de onde se espalhou para toda a Europa. Hoje, a Ordem ainda existe, mas sem a característica maçônica.

No Brasil

No Brasil, as Lojas trabalham, principalmente, com sete ritos:

Escocês Antigo e Aceito – foi originado no Rito de Perfeição, criado em Paris, em 1756, e abrange 25 graus. Na América, o rito foi alterado e o número de graus foi aumentado para 33. A partir desse trabalho, começaram a surgir, em princípios do século XIX, Supremos Conselhos nos países que os quiseram aceitar. Hoje, o rito está universalmente consagrado.

Moderno Francês – surgiu na segunda metade do século XVIII, na França. Naquela época, foi constituída uma comissão para estudar um novo rito, depurado das inovações e influências surgidas na Maçonaria e que desvirtuavam seus princípios. Em 1786, a comissão apresentou um projeto com sete graus, que foi aprovado imediatamente com o nome de Rito Moderno ou Francês.

Adonhiramita – foi criado em 1787 pelo barão Tschoudy. Tem inspiração nos símbolos encontrados no Templo de Salomão. O nome vem de "Adonirão", um arquiteto de Hiram, o construtor do Templo de Salomão. Compõe-se de dez graus e é muito usado no Brasil.

York – Originado em 1777, na Escócia, foi introduzido pelos jesuítas em Londres com o nome de "Rito dos Antigos Maçons". Tem quatro graus, mas, nos Estados Unidos, foi ampliado para nove. Muitas Lojas brasileiras, especialmente as que usam o inglês como língua, adotaram esse rito.

Schröder – fundado em 1766 pelo maçom que emprestou seu nome ao rito, mistura magia, teosofia e alquimia. É ainda adotado em muitas Lojas do mundo todo e também no Brasil. "A magia e a alquimia, com a evolução da parapsicologia e da transpsicologia, assumiram novas características, agora científicas, motivando a razão de ser deste Rito", diz o autor de livros de Maçonaria Rizzardo da Camino.

A ORGANIZAÇÃO DA MAÇONARIA

Adoção – o Rito Adoção originou-se na França em 1730 e foi reconhecido pelo Grande Oriente da França em 1774. É um rito que admite mulheres. Esse tipo de Maçonaria, conhecida como andrógina, surgiu em várias épocas e lugares, como a do Rito de Adoção de Cagliostro e a do Rito Egípcio. É muito usado no Brasil.

Além desses, há dois ritos não tão difundidos, mas caracteristicamente brasileiros: o Gaúcho e o Brasileiro.

Gaúcho – adaptado do Rito Francês Antigo e Aceito, é uma tentativa de criar um rito baseado no simbolismo gaúcho. Seguindo a hierarquia de uma estância gaúcha, seu fundador, cujo nome simbólico é José de Arimateia, estabeleceu três graus simbólicos: peão, capataz e patrão.

Brasileiro – um tipo de Maçonaria científica que nasceu no Brasil, conhecido por meio do nome. Seu nome verdadeiro é Rito da Maçonaria Renovada ou Rito-Maçônico-Perene.

A primeira ideia de criar-se um rito brasileiro (neste caso, luso-brasileiro) aconteceu em 1864. Naquele ano, o maçom Miguel Antônio Dias, sob o pseudômino de Um Cavaleiro Rosa-Cruz, lançou em Portugal o livro *Biblioteca Maçônica ou Instrução Completa do Franco-Maçom*. No prólogo, Dias conclama aos Orientes de Portugal e do Brasil a criação de um rito novo e independente, que, além dos três graus simbólicos comuns a todos os ritos maçônicos (Aprendiz, Companheiro e Mestre), incluísse Altos Graus Misteriosos diferentes e nacionais.

Muitos membros da Ordem rebateram a proposta. "A Maçonaria é Universal", observavam, "e não poderia tornar-se apenas nacional". Dias, porém, não estava propondo desrespeitar o *Landmark* da Universalidade Doutrinária da Tradição Maçônica, mas, sim, um rito no qual os altos graus "seriam formulados sob a influência do meio histórico e geográfico da pátria em que se vive, sob sua índole, inspiração e pendores".

Mais de uma década depois, em 1878, José Firmo Xavier fundou uma sociedade secreta nos moldes da Maçonaria, a Maçonaria do

Especial Rito Brasileiro para as Casas do Círculo do Grande Oriente de Pernambuco. Seus objetivos eram defender a religião católica, sustentar a monarquia brasileira, praticar caridade, desenvolver as ciências, as letras, as artes, a indústria, o comércio, a agricultura e contribuir para a abolição da escravatura. Destinava-se apenas aos brasileiros natos, sem distinção de classe, e tinha como base a Maçonaria Simbólica, com seus três graus simbólicos, sobre a qual constituía-se uma hierarquia dos vinte altos graus.

Foi também criado um Supremo Conselho do Grande Oriente em Pernambuco, ao qual se sujeitava à Maçonaria do Especial Rito Brasileiro. Xavier propôs que o Imperador D. Pedro II, o papa e os príncipes da família imperial fossem os Grandes Chefes Protetores, com o grau 23. O fundador desse rito, José Firmo Xavier, era o Grande Chefe Propagador e vitalício, com o grau 22.

Xavier enviou ao imperador D. Pedro II uma cópia da Constituição do rito com uma lista na qual estavam relacionados os 838 nomes dos membros da "Nobre e Augusta Casa Maçônica do Especial Rito Brasileiro Coração Livre e Popular propagada e instalada em Pernambuco". Ao lado do nome de muitos deles, estava anotada a palavra "Republicano". Será que Xavier quis alertar o imperador sobre seus desafetos em Pernambuco, mesmo que, para tanto, estivesse traindo seus irmãos de Ordem?

De fato, não há sentido em um rito maçônico estar sob a tutela do imperador e do papa, uma vez que a Maçonaria pregava os ideais republicanos e a igualdade entre os homens – contrários ao direito divino, então defendido pela Igreja. Alguns autores afirmam que, na verdade, não se tratava de um movimento maçônico, mas, sim, de uma sociedade secreta nos moldes da Maçonaria, provavelmente com fins políticos, ou para obter benefícios do governo imperial.

Seja como for, o rito teve breve duração, segundo alguns, por conter o preceito de irregularidade, admitindo apenas brasileiros natos, e a Maçonaria do Especial Rito Brasileiro "abateu colunas", dando lugar ao desenvolvimento do Rito Brasileiro como é conhecido hoje.

A ORGANIZAÇÃO DA MAÇONARIA

O idealizador do Rito Brasileiro foi o general Lauro Sodré e Silva, figura de relevo no contexto político da época. Em 1904, Lauro Sodré assumiu o grão-mestrado da Maçonaria, realizando grandes contribuições à Maçonaria brasileira. Contudo, esse maçom é mais lembrado pela sua maior realização: a criação do Rito Brasileiro.

Em 1914, ano em que estourou a guerra na Europa, aconteceram várias reuniões de maçons na casa do general Joaquim José do Rego Barros para discutir a ideia apresentada por Lauro Sodré de criar um rito brasileiro. Em 21 de dezembro de 1914, o Conselho Geral da Ordem deliberou pelo reconhecimento e pela adoção do Rito Brasileiro, com os mesmos direitos concedidos aos demais ritos reconhecidos pelo Grande Oriente do Brasil. Dois dias depois, era baixado o Decreto no 500, que registra: "Lauro Sodré, Grão-Mestre da Ordem Maçônica no Brasil, faz saber a todos os maçons e oficinas da Federação, para que cumpram e façam cumprir, que em sessão efetuada no dia 21 de dezembro deste ano, o Ilustríssimo Conselho Geral da Ordem aprovou o reconhecimento e a incorporação do Rito Brasileiro entre os que compõem o Grande Oriente do Brasil, com os mesmos ônus e direitos regidos liturgicamente pela sua constituição particular".

Inspirado no Rito de York Americano, o Rito Brasileiro tem 33 graus, o que o aproxima da tradição escocesa. Desde sua fundação, o rito declarou-se teísta, admitindo a existência de Deus, o Supremo Arquiteto, e sua ação providencial no Universo.

Embora o primeiro passo tivesse sido dado para a criação de um rito maçônico que incorporasse as características nacionais, o Rito Brasileiro caiu em um estado de dormência logo depois. A Primeira Guerra Mundial, de 1914 a 1918, contribuiu para a fraca difusão do novo rito. Outro motivo para o adormecimento do Rito Brasileiro foi a intolerância de maçons que o viam com desconfiança, especialmente porque esse rito não tinha constituído o Supremo Conclave – uma espécie de conselho deliberativo e normativo de um dado rito –, o que só viria a acontecer em 1941, com o nome de Conclave dos Servidores da Ordem e da Pátria. No início, o Rito

Brasileiro também não tinha rituais. Só em 1940, foram criados rituais para os três graus simbólicos.

Ainda em 1941, foi publicada uma Constituição com 19 artigos. Nela, via-se que o Rito Brasileiro derivava do Rito de York, acrescentando a Palavra de Passe para "Cruzeiro do Sul", e era então composto de três graus: Aprendiz, Companheiro e Mestre, e mais quatro títulos de Honra.

A primeira Loja do Rito Brasileiro foi fundada em Pernambuco. Em 1928, foi a vez da Loja Ypiranga, em São Paulo. Aos poucos, foram surgindo outras Lojas do novo rito. Contudo, apesar de o Rito Brasileiro ser reconhecido e incorporado ao Grande Oriente do Brasil, consagrado e autorizado pela Soberana Assembleia, com sua Constituição adotada e incorporada ao patrimônio legislativo do Grande Oriente, as Lojas que adotavam o novo rito logo "abatiam colunas", isto é, fechavam, ou mudavam de rito. Isso ocorria principalmente porque o rito não possuía nem rituais nem Supremo Conclave. Foi só nos anos 1960 que o Rito Brasileiro foi consolidado.

O grande responsável pela consolidação do Rito Brasileiro foi Álvaro Palmeira. Esse maçom, Grão-Mestre da Ordem Maçônica Brasileira, acreditava que a Ordem deveria acompanhar os novos tempos, em vez de manter-se presa às ideias de 1717 – ano oficial do início da Maçonaria Especulativa, com a fundação da Grande Loja Mãe do Mundo, em Londres. Palmeira via o Rito Brasileiro como a possibilidade de abrir-se um novo período na história da Maçonaria universal.

Em 1968, Palmeira estruturou o Rito Brasileiro, escrevendo todos os seus rituais Simbólicos e Filosóficos, exceto o do grau 33, cujo rito só foi aprovado pelo Supremo Conclave em 1999, escrito por Carlos Simões. O Rito Brasileiro enfatiza que, "se a Maçonaria é universal, o maçom tem uma Pátria". Com efeito, isso pode ser visto, por exemplo, na Guerra de Independência dos Estados Unidos, quando maçons americanos combateram de forma visceral os maçons britânicos.

A ORGANIZAÇÃO DA MAÇONARIA

Com a consolidação do Rito Brasileiro, Álvaro Palmeira propôs uma Maçonaria social, dinâmica, ecológica e engajada em determinar o futuro da humanidade. Sua missão é o conhecimento e a fraternidade, proclamar a glória e a fraternidade dos homens, e estabelecer, durante as sessões, a presença das três Grandes Luzes: o Livro da Lei Sagrada, o Esquadro e o Compasso.

Hoje, o Rito Brasileiro é o segundo mais difundido entre aqueles adotados no Brasil.

Os Graus do Rito Brasileiro e sua Distribuição

O Rito Brasileiro tem 33 graus, sendo três Graus Simbólicos obrigatórios. São distribuídos da seguinte forma:

Simbólicos (graus 1 ao 3)

1) Aprendiz

2) Companheiro

3) Mestre

Sublimes Capítulos (graus 4 ao 18): dedicados à cultura moral

4) Mestre da Discrição

5) Mestre da Lealdade

6) Mestre da Franqueza

7) Mestre da Verdade

8) Mestre da Coragem

9) Mestre da Justiça

10) Mestre da Tolerância

11) Mestre da Prudência

12) Mestre da Temperança

13) Mestre da Probidade

14) Mestre da Perseverança

15) Cavaleiro da Liberdade

16) Cavaleiro da Igualdade

17) Cavaleiro da Fraternidade

18) Cavaleiro Rosa-Cruz ou da Perfeição

Grandes Conselhos Filosóficos (graus 19 ao 30): voltados ao desenvolvimento da cultura artística científica, tecnológica e filosófica

19) Missionário da Agricultura e da Pecuária

20) Missionário da Indústria e Comércio

21) Missionário do Trabalho

22) Missionário da Economia

23) Missionário da Educação

24) Missionário da Organização Social

25) Missionário da Justiça Social

26) Missionário da Paz

27) Missionário da Arte

28) Missionário da Ciência

29) Missionário da Religião

30) Missionário da Filosofia

Kadosh Filosófico

Altos Colégios (graus 31 e 32): voltados ao desenvolvimento da cultura cívica

31) Guardião do Bem Público

32) Guardião do Civismo

Supremo Conclave (grau 33): dedicado à síntese humanística

33) Servidor da Ordem da Pátria e da Humanidade

O RITO ESCOCÊS ANTIGO E ACEITO

Hoje, o rito maçônico mais difundido em todo o mundo – inclusive no Brasil – é o Rito Escocês Antigo e Aceito.

O Rito Escocês Antigo e Aceito foi criado a partir do Rito de Perfeição ou Rito de Heredom, fundado em 1150 na Escócia, que continha 25 graus. Há registros de Lojas conferindo o grau de "Mestre Escocês" desde 1733.

O comerciante francês Estienne Morin, que pertencia aos altos graus da Maçonaria da cidade de Bordeaux, fundou, em 1747, uma Loja Escocesa em Le Cap Français, na costa norte da colônia francesa de São Domingos, atual Haiti. Morin aumentou o número de graus do Rito de Perfeição (25) para os atuais 33.

Os três primeiros graus, chamados de Simbólicos, introduzem aos maçons os ensinamentos básicos por meio, como diz o nome, de simbolismo. Os graus Filosóficos são graus elevados, em número de trinta, onde a filosofia e a moral são estudadas – também por meio de símbolos –, em cada grau, com lendas ou mitos associados a cada etapa do aprendizado. Os graus elevados filosóficos são geridos por vários Supremos Conselhos, que têm como objetivo manter a uniformidade mundial dos rituais e dos métodos utilizados.

Durante os anos 1750, a Loja de Bordeaux reconheceu sete Lojas escocesas. Em Paris, em 1761, foi emitida uma patente para

A ORGANIZAÇÃO DA MAÇONARIA

Morin, nomeando-o Grande Inspetor de Todas as Partes do Novo Mundo. No ano seguinte, Morin voltou a São Domingos, onde, de posse da patente, constituiu Lojas do novo rito por todo o Caribe e América do Norte. Em 1764, uma Loja escocesa foi fundada em Nova Orleans – a primeira Loja de altos graus da América do Norte. Morin permaneceu em são Domingos até 1766, quando se mudou para a Jamaica. Em 1770, Morin criou, em Kingston, capital da ilha, um Grande Capítulo do novo rito, o Grande Conselho da Jamaica. Ele morreu no ano seguinte, mas o rito já ganhara vida própria.

Os Manuscritos de Francken

O homem que ajudou Morin a difundir o Rito Escocês no Novo Mundo foi um holandês naturalizado francês, Henry Andrew Francken.

Morin havia nomeado Francken Vice-Grande Inspetor Geral e ambos trabalharam numa parceria próxima até a morte de Morin. No início dos anos 1780, Francken produziu três manuscritos descrevendo os rituais para os graus 4 ao 25.

Apesar de nessa época o rito de 33 graus já ter diversas Lojas, o Rito Escocês só veio a existir de fato com a criação do primeiro Grande Conselho, em 31 de maio de 1801, em Charleston, Carolina do Sul. O Supremo Conselho dos Grandes Inspetores Gerais, como foi chamado, adotou as Grandes Constituições de 1786. No ano seguinte à sua fundação, esse conselho emitiu patente, permitindo que o conde Grasse Tilly estabelecesse Lojas, capítulos, conselhos e consistórios.

Em 1803, Tilly voltou à França, onde constituiu um Supremo Conselho Provincial e, em seguida, um Grande Consistório. Na esteira desses acontecimentos, em 1804, uma assembleia geral do Consistório fundou, em Paris, uma Grande Loja, a Grande Loja Escocesa da França do Rito Escocês Antigo e Aceito. Seu primeiro grão-mestre foi o príncipe Luís Napoleão, o sobrinho do imperador Napoleão, que viria a ser presidente e depois imperador da França.

Albert Pike

Foi o grande responsável por ter transformado o Rito Escocês Antigo e Aceito na grande fraternidade internacional que é hoje Albert Pike.

Quando Pike recebeu o 32º grau, em 1853, os graus ainda estavam em sua forma rudimentar. Incluíam apenas uma breve história de cada um dos 33 graus, mas não tinham ainda um ritual correspondente. Em 1855, o Supremo Conselho nomeou um comitê para preparar e compilar rituais para os graus 4 ao 32. Embora o comitê tivesse cinco membros, Pike executou sozinho todos os trabalhos. Em 1857, ele publicou cem cópias da sua primeira versão dos rituais.

Pike também escreveu um livro de ensinamentos maçônicos que veio a tornar-se fundamental na literatura não só do Rito Escocês Antigo e Aceito, mas da Maçonaria em geral. *Moral e Dogma do Rito Escocês Antigo e Aceito da Maçonaria*, ou simplesmente *Moral e Dogma*, foi publicado pelo Conselho Supremo, Trigésimo Terceiro Grau, do Rito Escocês, Jurisdição do Sul dos Estados Unidos, em 1872.

O livro pretende ser um guia para o Rito Escocês. Consiste em orientações e ensaios de Pike que sistematizam os ensinamentos para os 33 graus do Rito Escocês. Dessa forma, seu trabalho estabeleceu as bases filosóficas, sociológicas, históricas, políticas, simbólicas e religiosas do Rito Escocês Antigo e Aceito. Conforme o próprio autor admite, *Moral e Dogma* é, de fato, uma grande compilação de textos maçônicos anteriores. No prefácio do livro, Pike escreve que, "ao preparar este trabalho, o Grande Comendador foi tanto Autor quanto Compilador, já que extraiu perto da metade de seu conteúdo dos trabalhos dos melhores escritores e dos pensadores mais filosóficos ou eloquentes".

Pike continuou seu trabalho estudando e compilando a literatura maçônica e, em 1884, completou a revisão dos rituais. Hoje, o Rito Escocês Antigo e Aceito é o rito maçônico mais difundido no mundo.

O Rito Escocês Antigo e Aceito no Brasil

O Rito Escocês Antigo e Aceito está no Brasil há 183 anos e é um dos ritos mais praticados no País. Personagens de projeção na história nacional foram Soberanos Grandes Comendadores, como o Marechal Deodoro da Fonseca, o proclamador da República e primeiro presidente do País, Nilo Peçanha, vice-presidente do Brasil, e o senador Quintino Bocaiuva.

A ORGANIZAÇÃO DA MAÇONARIA

Tudo, porém, começou longe daqui, em 12 de março de 1829, quando Francisco Jê Acaiaba de Montezuma, depois Visconde de Jequitinhonha, então no exílio, recebeu do Supremo Conselho dos Países Baixos (atual Bélgica) uma carta de autorização para instalar um Supremo Conselho do Rito Escocês Antigo e Aceito no Brasil. Contudo, foi só em novembro de 1832 que Montezuma instalou o Supremo Conselho no Brasil.

Durante os anos seguintes, houve várias cisões e aproximações em torno do Supremo Conselho, que se amalgamou ao Grande Oriente do Brasil. Por conta desse arranjo, o Grão-Mestre eleito passava a ser o Soberano Grande Comendador do Supremo Conselho do Rito Escocês, mesmo sem ser membro do rito.

Foi só em 1925 que as duas jurisdições foram separadas por decisão do Grão-Mestre do Grande Oriente do Brasil e Soberano Grande Comendador do Rito Escocês, Mario Behring. Não foi, contudo, uma separação tranquila. O grão-mestre eleito para o Grande Oriente do Brasil, Octávio Kelly, não reconheceu a separação e assumiu igualmente o cargo de Soberano, mesmo sem ter sido eleito.

Com a ruptura, o Supremo Conselho, ainda dirigido por Mario Behring, promoveu, em 1927, a criação das Grandes Lojas Brasileiras para delas poder continuar a retirar os Mestres para as suas Lojas de Perfeição (graus 4 ao 14). Por sua vez, o Grande Oriente do Brasil criou um novo Supremo Conselho, chamado de reconstituído.

A disputa acabou sendo resolvida apenas em 1929, em Paris, durante a IV Conferência Mundial. Julgada a questão, o conselho reconstituído foi recusado, ficando um único Conselho Supremo regular, reconhecido e única autoridade legal e legítima para o Rito Escocês Antigo e Aceito no Brasil.

Minidicionário do Rito Escocês

Abóbora Celeste. Forro de uma Loja (semeado de estrelas).

A G∴ D∴ G∴ A∴ D∴ U∴ À Glória do Grande Arquiteto do Universo.

Banquete Maçônico. (Nomenclaturas) Festividade maçônica, geralmente realizada em grau de Aprendiz, consiste numa refeição com a finalidade de solenizar determinados acontecimentos relacionados à Ordem. Os utensílios e ingredientes dos banquetes têm uma nomenclatura simbólica, para água (Pólvora Fraca), beber (atirar uma canhonaça, isto é, dar um tiro de canhão), barril (garrafa de vinho).

Colunas. Designação primeiramente das duas colunas simbólicas localizadas na entrada de uma Loja: J (Jakin) e B (Boaz) (parecidas com as que Hiram colocou na entrada do templo de Salomão), Jakin à direita e Boas à esquerda (segundo consta na Bíblia Sagrada [I Reis, 7 21-22]). Significa também o lugar em que os maçons se localizam na Loja.

Compasso Maçônico. Método de calcular o ano maçônico.

Escocismo. Termo que designa o Rito Escocês Antigo e Aceito.

Estatutos. Denominação da lei maçônica geral, promulgada por uma potência, visando a regular as atividades de todas as Lojas e todos os obreiros que trabalham em sua obediência.

G. Para os maçons, é a letra sagrada, inscrita no centro do esquadro. Significa: 1 – A primeira letra de Deus em inglês (God) 2 – O início da palavra Geometria (símbolo da arte da arquitetura) 3 – O início das palavras: Gnose, Gênio e Gravitação.

Hexágono. Polígono de seis lados e seis ângulos. É um símbolo da criação universal.

Idade Maçônica. Senha de reconhecimento de maçom, em cada grau. Perguntar a idade a um maçom equivale perguntar o seu grau, pois, no Rito Escocês Antigo e Aceito, cada grau corresponde a um número simbólico.

Justiça. A Maçonaria incute por meio de seus ensinamentos que a Justiça reja a vida de todas as coisas e de todos os seres dentro da harmonia na vida do homem.

A ORGANIZAÇÃO DA MAÇONARIA

Landmark. (Baliza, limites, termos). Um Landmark não é nem um símbolo, nem uma alegoria e, sim, uma regra. Define-se um Landmark, como uma regra de conduta, que deve ser mantida imutável desde os tempos primórdios até o futuro. Essa forma de lei pode ser de tradição escrita ou oral. São consensuais e devem ser mantidas intactas, em virtude de compromissos solenes e invioláveis.

Maçonaria Azul. Nome dado à Maçonaria simbólica (do grau 1 ao 3).

O Olho que Tudo Vê. Representa a onisciência do Grande Arquiteto do Universo (Deus) – O Olho que Jamais Dorme – visão superior.

Pavimento Mosaico. Situado no centro da Loja, é o local onde ficam: o Livro da Lei, o Esquadro e o Compasso, circundados pela Orla Dentada.

Rito de Heredom (ou da arte real). Fundado em 1150 em Kilwinning, Escócia Ocidental, é composto de 25 graus e foi o rito de origem ao Rito Escocês Antigo e Aceito. Até o ano de 1286, trabalhava somente com 3 graus.

Saudação Maçônica. É a saudação que o maçom faz ao entrar ou sair da Loja, ao Venerável Mestre, ao Primeiro Vigilante, ao Segundo Vigilante, às autoridades e aos irmãos do quadro.

Traje Maçônico. Traje a rigor na cor escura (preferencialmente preto), sapatos pretos e gravata branca, sendo permitidas gravatas discretas. É aceito o uso do balandrau em substituição do terno escuro.

V.I.T.R.I.O.L. *Visita interiora Terrae. Rectificando Invenies Occultum Lapidem* ("Visita ao interior da terra, que ao verificar encontrarás a Palavra Perdida"): essa inscrição encontra-se na Câmara de Reflexão.

Fonte: Dicionário de Termos Maçônicos – as palavras, as frases e os termos maçônicos mais usados no Rito Escocês Antigo e Aceito para a Maçonaria no Brasil, por Plínio Barroso de Castro Filho.

POSFÁCIO

A Maçonaria Hoje

Conforme vimos na primeira parte deste livro, a Maçonaria teve uma incrível influência política no estabelecimento da democracia no Ocidente: da Revolução Americana à Independência do Brasil, sem deixar de lado a Revolução Francesa ou a Libertação das Américas.

Embora suas atividades sejam controladas e restringidas a países como Espanha e Portugal e inexistam em lugares como a China e a Rússia, a Maçonaria está firmemente estabelecida e continua a desenvolver-se em praticamente todo o mundo. Hoje, porém, com a liberdade e a justiça estabelecidas em grande parte do mundo ocidental – e até mesmo no Oriente –, a influência maçônica diminui enquanto força de coesão política. O sentido da fraternidade começa a se transformar, assumindo, aos poucos, uma nova forma de atuação na sociedade. Sempre preservando os mesmos ideais de valorização do homem, atualmente, mais do que nunca, a Ordem está se voltando mais para ações de bem-estar social do que se esforçando para intervenções de ordem política. A Maçonaria estabeleceu-se, também, como uma poderosa rede de influências políticas e de negócios. Isso acaba gerando um impacto não sobre a Maçonaria, mas sobre os próprios maçons. Rizzardo da Caminho, autor de cerca de sessenta títulos sobre o tema, confirma um novo perfil em alguns dos maçons contemporâneos. Ao ser perguntado pelo autor deste livro, o que mais havia mudado na Maçonaria durante os sessenta anos da sua participação na Ordem, da Camino respondeu que "o que mais mudou não foi a Maçonaria, mas o maçom". De fato, não são poucos os maçons que participam da Ordem com o objetivo último de usufruir da rede de vantagens e negócios formada espontaneamente pela fraternidade.

No artigo *Um Pouco de História – Ritos Maçônicos*, João Zanella, da Grande Loja Unida Sul-Americana, afirma que, atualmente, os maçons dividem-se em duas categorias: aqueles que procuram instruir e entender e os indiferentes. "Este último viu, na Franco-Maçonaria, um meio de chegar ou ser assistido", diz Zanella. "Para ele, é uma sociedade como qualquer outra, mais cômoda, nada mais", afirma. Há, também, "o maçom que procura" e que, "ao contrário, rapidamente dá-se conta de que existem ensinamentos que necessitam de uma causa". Essa segunda categoria "pensa em tudo o que atrai seus olhos nas Lojas, nas palavras ouvidas, no ritual executado diante dele e, assim, descobre que deve existir uma ciência da Maçonaria, como existe uma ciência matemática que utiliza a álgebra".

De fato, há maçons que negam veementemente o aspecto místico da filosofia maçônica e que buscam afirmar o aspecto fraternal da Ordem como uma mera rede de vantagens onde seus membros negociam entre si e apoiam-se mutuamente. Qualquer argumento que relacione a filosofia maçônica com o cerne comum a todas grandes religiões são negados por eles. "Certos homens de Estado, ou até simples ambiciosos, quiseram usar essa Ordem com uma finalidade completamente estranha às aplicações sociais da Ciência Maçônica", avisa Zanella. "Daí o abandono dos estudos simbólicos e a transformação da

POSFÁCIO

Franco-Maçonaria em uma sociedade de ação política, com um ensinamento filosófico de tendências materialistas", prossegue. "As Lojas que seguem esse caminho têm uma inclinação forçada a abandonar os estudos simbólicos, que não têm mais qualquer utilidade para seus membros, e a desconhecer os Altos Graus, onde esses estudos devem ter prosseguimento", atesta o maçom.

Rizzardo da Camino lamenta essa situação: "Infelizmente, os maçons refletem o atual desastre social e não têm nenhuma influência na sociedade, mesmo que seu lema maior seja torná-la feliz". Para esse veterano escritor maçom, a "Maçonaria está desunida, fracionada em múltiplas obediências". O autor julga que deve haver uma "religação", dentro da fraternidade, pois "os elos da 'Grande Cadeia de União" estão desunidos. Só depois dessa religação "poderá a Maçonaria cogitar programas em relação ao futuro a fim de iluminar o caminho do seu próximo, que jurou amar".

Trata-se de uma visão pessimista? Rizzardo da Camino prefere que seja "um alerta e não censura ou crítica destrutiva". O futuro de qualquer coisa – em particular, o da Maçonaria – é sempre uma incógnita. Depende, sempre, da direção que está sendo dada no presente. É esse intuito plantado no presente que germinará no futuro. Assim, os rumos da Maçonaria só podem ser traçados pelo próprio maçom – baseados totalmente na sua intenção, orientação e conhecimento da Antiguidade, Alexandria fundiu em si a cultura helênica e a antiga cultura egípcia. O ponto alto desses conhecimentos era representado mais profundamente pelos "Mistérios": o egípcio Mistério de Ísis e o grego Mistério de Elêusis. O atual Rito Alexandrino busca reunir esses antigos Mistérios, adaptando-os à Maçonaria.

BIBLIOGRAFIA

E-REFERÊNCIAS

CLEMENTE XII. *Bula Papal Referente aos Maçons*. Disponível em: https://bibliot3ca.com/bula-papal-de-clemente-xii-relativa-aos-macons/. Acesso em 13/02/2019

FILHO, Plínio Barroso de Castro. *Dicionário de Termos Maçônicos – as palavras, as frases e os termos maçônicos mais usados no Rito Escocês Antigo e Aceito para a Maçonaria no Brasil*. Disponível em: http://www.revistaartereal.com.br/wp-content/uploads/2014/02/DICIONARIO-DE-TERMOS-MACONICOS-Plinio-Barroso-de-Castro-Filho.pdf. Acesso em 12.06.2019

FRANÇA, Antônio Carlos. *Histórias e Crendices Sobre os Maçons nos Caminhos e Descaminhos do Ouro*. Disponível em: https://www.yumpu.com/pt/document/read/12925093/historias-e-crendices-sobre-os-macons-nos-caminhos-e. Acesso em 12.06.2019

OLIVER, George. *Antiquities of Freemasonry*. Disponível em: https://catalog.hathitrust.org/Record/008678059. Acesso em 09.03.2020.

ZANELLA, João. *Um Pouco de História – Ritos Maçônicos*. Disponível em: http://www.glusa.org.br/modules.php?name=News&file=article&sid=45. Acesso em 09.03.2008.

REFERÊNCIAS BIBLIOGRÁFICAS

ANÔNIMO. *O Caibalion*. São Paulo: Cultrix, 2003.

CAMINO, Rizzardo da. *Introdução à Maçonaria: Doutrina, História e Filosofia*. São Paulo: Madras, 2005.

CAPT, Raymond. *Our Great Seal – The Symbols of Our Heritage and Our Destiny*. Amazon: s/l, 2007.

EMOTO, Masaru. *Hado – Mensagens Ocultas na Água*. São Paulo: Cultrix, 2006.

FABER, George Stanley. *Origin of Pagan Idolatry*. Sidnei: Wentworth Press, 2019.

FRENCH, Peter. *John Dee: The World of an Elizabethan Magus*. Londres: Ark Paperbaks, s/d.

BIBLIOGRAFIA

FREYRE, Gilberto. Sobrados e Mucambos.

HARWELL, Richard. *Washington: An Abridgement*, Norwalk: The Easton Press, 1985.

HOWARD, Michael. *The Occult Conspiracy - Secret Societies – Their Influence and Power in World History*. Nova York : MJF Books, 1997.

HUXLEY, Aldous. *Filosofia Perene*. Tradução de Octavio Mendes Cajado. São Paulo: Cultrix, 2003.

ISRAELL, Jonathan I. *Iluminismo Radical: A Filosofia e a Construção da Modernidade – 1650 – 1750*. Tradução de Claudio Blanc. São Paulo: Madras, 2009

KINNEY, Jay (org.). *Esoterismo e Magia*. São Paulo: Pensamento, São Paulo, s/d.

LEADBEATER, C.W. *Pequena História da Maçonaria*. Tradução de J. Gervásio de Figueiredo. São Paulo: Pensamento, 2005.

LEPAGE, Marius. *História e Doutrina da Franco-Maçonaria*. Tradução de Nair Lacerda. São Paulo: Pensamento, 1994.

MACKEY, Albert G. *O Simbolismo da Maçonaria vols. 1 e 2*. Tradução de Caroline Furokawa. São Paulo: Universo dos Livros, 2008.

_____. *Os Princípios das Leis Maçônicas vols. 1 e 2*. Tradução de Wellington Mariano. São Paulo: Universo dos Livros, 2009.

MEAD, G.R.S. *A Gnosis Viva do Cristianismo Primitivo*. Brasília: Editora Núcleo Luz, 1995.

PALOU, Jean. *A Franco-Maçonaria Simbólica e Iniciática*. Tradução de Edílson Alkmim Cunha. São Paulo: Pensamento, 2003.

PRESTUPA, Juarez de Fausto. *Astrologia na Maçonaria*. São Paulo: Madras, 2005.

QUEIROZ, Álvaro de. *A Maçonaria Simbólica*. São Paulo: Madras, 2010.

ROBERTS, J.M. *O Livro de Ouro da História do Mundo*. Tradução de Laura Alves e Aurélio Rebello. Rio de Janeiro: Ediouro, 2000.

SINCLAIR, Andrew. *A Espada e o Graal*. Tradução de Claudio Blanc. São Paulo: Madras, 2004.

_____. *O Pergaminho Secreto*. Tradução de Claudio Blanc. São Paulo: Madras, 2004.

CONFIRA NOSSOS LANÇAMENTOS AQUI!